Alfred Jarry

Ubu roi

*Édition présentée, établie et annotée
par Noël Arnaud et Henri Bordillon*

Gallimard

PRÉFACE

Au commencement était Hébert.

*Né en 1832, agrégé de l'Université, docteur en phy-
sique, ancien élève de l'École normale supérieure, ancien
inspecteur d'académie, décoré des Palmes académiques,
professeur de physique, Félix-Frédéric Hébert arrive au
lycée de Rennes en 1881. Au bout d'une carrière agitée
qui l'avait rejeté de lycée en lycée, traînant derrière lui
un lourd passif de chahuts, dont témoignent ses rap-
ports d'inspection, M. Hébert va connaître à Rennes
son ultime chemin de croix et son apothéose — ce qui
est tout un.*

*Entre 1881 et 1888, date de l'arrivée à Rennes du
lavallois Alfred Jarry (via le lycée de Saint-Brieuc),
M. Hébert saura soulever autour de lui une saine effer-
vescence potachique qui, ne pouvant bientôt plus se
satisfaire de notables chahuts, va lui donner une
existence littéraire. Sous les surnoms divers de Eb, Ébon,
Ébance, Ébouille et du P.H. (tous surnoms « littéraires »
puisque M. Hébert est, à la même date, mieux connu
sous le sobriquet de Pouilloux), cet homme honnête (au
sens où Laurent Tailhade parle de l'âme fétide des*

honnêtes gens) et faible (au point d'avoir été mouchard
de police à Limoges en 1871 contre les communards
locaux) vit désormais une vie rêvée par d'autres : il y
passe le plus clair de son temps en cruautés diverses, en
décervelages de rentiers, écumant les rues de Rennes
avec une armée de Salopins (devenus bientôt Palotins) et
mettant à mal la bourse des passants.

Lorsque Alfred Jarry foule en octobre 1888 le sol
rennais, il existe au sujet du « gros bonhomme » une
véritable geste, avec son folklore et son vocabulaire.
L'un des éléments les plus élaborés de cet ensemble est
formé par une pièce recueillie et mise en forme à partir
de 1885 par les deux frères Morin, l'aîné Charles
et Henri le cadet (lequel sera un condisciple de Jarry),
intitulée Les Polonais. Quand Jarry entre au lycée
de Rennes, Charles Morin l'a quitté pour Paris où il
va préparer — avec succès — l'École polytechnique.
Mais Henri Morin reste et devient très vite l'ami
intime de Jarry. Il lui communique le manuscrit des
Polonais. Jarry tire aussitôt parti de ce texte et le fait
jouer chez les parents d'Henri Morin puis chez lui au
6, rue Belair. Acteurs en chair et en os, marionnettes,
théâtre d'ombres, il semble que Les Polonais aient été
montés chez les Morin et chez les Jarry sous ces diverses formes. Que Jarry, venu à Rennes à la rentrée scolaire de 1888, ait pu indiquer sous le titre de l'édition
originale d'Ubu roi « drame en cinq actes en prose
restitué en son intégrité tel qu'il a été représenté par
les marionnettes du Théâtre des Phynances en 1888 »

témoigne qu'il n'avait pas lambiné pour faire des Polonais *quelque chose et d'abord un spectacle.*

Peu après son arrivée à Paris en juin 1891, Jarry rencontre, en rhétorique supérieure, au lycée Henri-IV, et dans les environs, Léon-Paul Fargue, Édouard Julia et quelques autres, pour lesquels il organise, en son domicile du boulevard de Port-Royal, des représentations des textes ubiques apportés dans ses valises. Dès cette époque, il s'initie aux arcanes du symbolisme. Il est significatif que le premier texte important publié par Jarry, en avril 1893 : Guignol, *soit un texte qui donne à Ubu la place de choix, et sous son nom. En octobre 1894, dans* Les Minutes de sable mémorial, *où Jarry se montre l'égal des poètes symbolistes les plus raffinés, Ubu est doublement présent : par* Guignol *et par une courte citation, extraite de* Les Polonais ou Ubu roi, *mise en exergue à ce qui deviendra « l'Acte prologal » de* César-Antechrist. *Lorsque ce livre, achevé d'imprimer le 1ᵉʳ octobre 1895, est diffusé au cours du mois de novembre, avec un retard dû au service militaire de Jarry qui s'en libérera le 14 novembre par une bonne réforme longuement préparée, les lecteurs connaissent déjà son « Acte terrestre », version condensée d'*Ubu roi, *révélée deux mois auparavant par le* Mercure de France.

De toute évidence, Jarry ne se cache pas d'Ubu. Quand en décembre 1896, à la première représentation, certains s'indigneront devant leur double, il y a plus de trois ans qu'il s'avance, irrépressible, mais tous ne fréquentaient pas le monde du symbolisme où l'on savait qu'il se préparait quelque chose...

Après des manœuvres d'approche, plus innocentes peut-être qu'on ne l'a dit, auprès de Lugné-Poe, directeur du théâtre de l'Œuvre, théâtre du symbolisme et qui laisse aussi s'y exalter l'anarchie, Ubu roi *est, de toutes les concrétions rennaises du personnage, la pièce choisie par Jarry pour mettre le public à portée des crocs du monstre.*

La très importante lettre de Jarry à Lugné-Poe du 8 janvier 1896 donne en six points ce qui peut être considéré comme son premier manifeste théâtral. La suppression des accessoires et des foules, l'adoption de masques et d'un timbre de voix particulier, le synthétisme des décors peints par Vuillard et Sérusier, tout cela sera plus tard rappelé par le prologue des **Mamelles de Tirésias.** *Et depuis, tout un théâtre, et le seul qui ait compté et compte encore, s'est inspiré des conceptions jarryques fondamentales, celles d'un théâtre total : non plus texte seulement, mais jeu pour l'œil et pour l'oreille, en même temps que l'insensé de l'action et du drame trouve un sens, justement, par cette déréalisation volontaire qui porte l'œuvre, comme Jarry lui-même le veut, sur le plan de l'éternité.*

*Quant au vacarme de la salle, et à cette tumultueuse bataille, il rappela, paraît-il, celle d'*Hernani[1]. *Le rapport du pompier de service a échappé à nos recherches. Et du reste, le théâtre de l'Œuvre, ces années-là, était toujours, et à tous égards, à la limite de la sécurité. Le « scandale » d'*Ubu roi *n'était pas le premier*

---

1. Voir p. 175 « La bataille d' *Ubu roi* ».

auquel Lugné-Poe offrait un terrain de manœuvres à tir réel. Jarry (ses lettres à Lugné-Poe le prouvent) avait fort délibérément choisi le lieu où il savait qu'Ubu ferait grand bruit.

*Si l'on accepte (et nous l'acceptons) que Jarry n'écrivit pas, à proprement parler, le texte d'*Ubu roi*, on ouvre l'œil et on tend d'autant plus l'oreille à la formule qui clôt son inaugurale présentation de la pièce :* « Quant à l'action, qui va commencer, elle se passe en Pologne, c'est-à-dire Nulle Part. » *Pas plus la Pologne (à cette époque) que Shakespeare n'ont d'existence autre que par* leur nom. *De même, Ubu n'est de Jarry que parce qu'il a changé les noms des personnages des* Polonais, *et baptisé Ubu. Le génie (car Jarry vit encore au siècle des génies, les symbolistes restent sur ce point très proches des romantiques, inventeurs du génie), le génie pour Jarry est moins d'écrire que de* vouloir écrire. *Ainsi, il remet en cause fondamentalement la notion d'auteur, la notion de propriété littéraire. Il montre qu'il n'y a de littérature que volontaire, publiée, signée. Mieux encore, la signature* crée *l'œuvre (Duchamp, Dada iront dans ce sens et seul, au siècle de Jarry, Lautréamont).*

*Bref, le problème d'*Ubu *roi,* est celui de la propriété : *quel est le nom juste, et la juste cause ? S'il est un absolu, peut-il être ailleurs qu'en cette sphérique rotondité ? Ubu existe parce qu'il a gidouille, parce qu'il est gidouille, et que celle-ci se confond avec les limites mêmes de l'univers. Être, c'est être tout. Comme Ubu.*

On sait que l'androgyne était, avant que quelque chose d'autre soit. Et cette obsession, commune à l'époque symboliste (qu'on songe à Péladan, à Rachilde, à d'autres), semble véritablement construire *le texte de Jarry.*

Dans César-Antechrist, *le bâton-à-physique — que maniaient déjà allégrement les lycéens de Rennes — est le phallus, apte à rouler sur ses extrémités et, dans* Messaline, *quand l'impératrice prostituée rencontre le mime Mnester, elle le voit les pieds en l'air ; nous le retrouverons au cirque en posture de cubiste [antipodiste] sautant sur un seul bras par bonds énormes et puis tournant très vite sur sa main, tel exactement roule sur lui-même, signe Plus et signe Moins, mâle et femelle, le bâton-à-physique. « Phallus déraciné, ne fais pas de pareils bonds », s'écrie dans* César-Antechrist *le templier qui se souvient de Maldoror et, dans* Messaline, *Mnester-Phalès laissera choir son sexe lourd entre les mains de l'impératrice. Aux jardins de Lucullus, Mnester-Phalès est d'abord un œuf intumescent, cet œuf que, dans sa rotation, forme le bâton-à-physique et qui est le zéro entre les anses duquel naissent les hommes, cet œuf, cinématique du zéro :* Ubu, *infini. Devant la boule de verre de Sidon,* Messaline *dit : « Si un homme nu se voyait homme dans cette boule, il s'y verrait dieu ! » En d'autres termes, l'amour c'est Ubu et ce ne peut être que lui puisqu'il est tout, et le contraire de tout, et ce qui s'y surajoute. La sphère, forme parfaite (Ubu), Mnester dansant la réalise. Au chapitre des chapeaux, le chapeau thessalique est un des chapeaux des Palotins d'Ubu : il est donc logique que Vectius Valens dans* Messaline *le porte quand il va à la pêche aux muges, ces poissons dont l'Antiquité goûtait et la chair (fort excellente puisque ce sont nos mulets) et les vertus aphrodisiaques, un peu éventées, semble-t-il, depuis le temps ; les muges, qui pour Jarry évoquent une coudée de défense d'ivoire (donc, dans sa personnelle symbolique, le pénis), sont des pals sur quoi l'on suppliciait les adultères. Les Palotins dans* Ubu *sont palloïdes et phalliques et ressemblent étonnamment à des muges.*

Messaline, Le Surmâle *sont d'*Ubu. *Rendant compte du* Surmâle *dans* La Revue blanche *à son apparition, Pierre Quillard l'avait supérieurement compris : comme* Ubu, Le Surmâle — *et aussi Messaline — se situe, par l'excès même de sa puissance, hors de notre espèce, de notre règne, de notre terre et les commande. Tous, et Ubu, procèdent de cette incohérence scientifiquement fondée, de cette logique hallucinée, de cette « fusion d'une mathématique inexorable avec un geste humain » par quoi Jarry définissait le Beau.*

Entre le déjà là de la sphère ubique et la tentation de l'absolu qui meut Emmanuel Dieu (dans L'Amour absolu), *le* Surmâle, Messaline, *Erbrand de Sacqueville (dans* La Dragonne), *il y a toute la volonté d'atteindre ce qu'Ubu est de tout temps et de façon primordiale. L'œuvre non ubique de Jarry est peut-être l'effort désespéré d'égaler autrement la perfection inégalable d'Ubu. Ce sont là tentatives dont on meurt — et la suite le prouva.*

Dans César-Antechrist, *entre « l'Acte prologal » où l'Antechrist surgit, et le postacte qui fait se lever les*

morts et les convie au Jugement, Ubu affirme sa pré-
sence, et occupe le lieu central d'un texte qui nous est
redonné à lire avec Ubu roi *(« l'Acte terrestre » où il*
apparaît porte ce sous-titre). Mais on apprend plus
tard par les Gestes et opinions du docteur Faustroll, pataphysicien, *que le Père Ubu est l'auteur de*
César-Antechrist. *On comprend mieux pourquoi le*
personnage d'Ubu est le centre du drame, en même
temps que le centre de tout drame. Il est le seul humain
possible *car, s'il est de ce monde, il est aussi tout ce*
monde — tout en étant également, c'est là sa grande
force ou sa suprême ironie, l'un seulement des acteurs.
Si dans Faustroll, *fréquemment — pour ne pas dire*
toujours — l'œuvre (l'acte) constitue le paysage, dans
César-Antechrist *où tout est par blason (décor et*
personnages), c'est le décor même qui produit l'action et,
mieux encore, parle. Ubu est bien une « abstraction qui
marche ».

Et la re-présentation de l'absolu : personnage d'un
texte qui l'englobe, il l'englobe à son tour en se révélant
l'auteur de son propre personnage, et ainsi de tous les
autres. Inverse du Monsieur Teste *de Valéry, il ne*
cherche nullement à « tuer la marionnette » mais se
contente d'être pantin parmi les pantins, sûr qu'il est,
en définitive, de tirer les fils et de pouvoir s'enfuir à
temps, à l'intérieur de sa gidouille.

Ubu, roi de ce monde et, jusqu'à plus ample informé,
des autres, rassemble tout ce qui est en sa rotondité (la-
quelle est grosse alors de tous les possibles, les étant)
et il donne de notre univers, à l'instar de Lichtenberg,

*l'image d'une sphère sans circonférence à laquelle il
manque le centre.*

« *Si Jarry n'écrit pas demain qu'il s'est moqué de
nous, il ne s'en relèvera pas* », écrit Jules Renard dans
son Journal, *à la date du 10 décembre 1896. Et Jarry
ne s'en relèvera pas, en effet ! mais précisément parce
qu'il n'a pas écrit ce à quoi l'invitait Jules Renard. À
partir de cette représentation trop fameuse d'*Ubu roi,
*Jarry va devenir Ubu. À la fin de sa vie, en 1906,
n'écrira-t-il pas à Rachilde :* « *Le Père Ubu va mourir...* » *? À la lecture de cette lettre qui précède d'un
peu plus d'un an sa mort* « *réelle* », *on saisit dans
toute sa cruelle nudité combien, à porter un masque,
on risque bientôt de faire corps avec lui. Dirons-nous
qu'Ubu poursuit Jarry ? Nous le dirions si Jarry n'en
avait, selon toute apparence, pris son parti, s'il ne se
prêtait lui-même, bon gré mal gré, à ce jeu. On aime
à le voir jouer au Père Ubu, à l'entendre parler Ubu ;
lui si poli, si délicat, on le convie à dîner pour l'entendre proférer des incongruités et, quand il s'en garde,
on est déçu : ce n'est donc que ça, Alfred Jarry, ce petit
homme qui n'ose même pas crier* « *merdre* » *quand la
maîtresse de maison apporte le gigot ? ! Il n'est guère
que l'identification d'Henri Monnier avec son personnage de Monsieur Prudhomme qui lui soit comparable.
Jarry put bien publier d'aussi admirables pages que
celles de* Les Jours et les Nuits, L'Amour absolu,
Le Surmâle, Messaline, La Dragonne, *pour tous
et pour le dictionnaire il reste l'auteur d'*Ubu roi, *il est
Ubu. C'est de cette date que naît une légende, qu'Ubu*

devient un mythe vivant, et Jarry un mort en sursis dont il est miraculeux que, vraiment mort, on ne l'ait pas mis en bière avec sa marionnette dans les bras.

Il lui faudra alimenter ce mythe et s'en alimenter — car l'existence de Jarry deviendra d'année en année moins assurée. Il écrit donc successivement, remaniées à partir de textes remontant à l'époque rennaise, les deux pièces d'Ubu enchaîné, cette « contrepartie » d'Ubu roi, et d'Ubu cocu (qui fut publié posthume). Bien plus, Jarry rédige, en 1899 et 1901, à l'instar de son maître Rabelais, deux Almanachs (le second avec la collaboration excellente de Fagus et, médiocre, d'Ambroise Vollard) pleins de connaissances utiles et inutiles, lesquelles voisinent avec un calendrier qui ne fit pas date en son temps mais est le seul que pratiquent aujourd'hui les pataphysiciens et des saynètes qui montrent dans leurs agitations dérisoires quelques grands hommes, et d'autres moindres, ou depuis oubliés, restitués à leur plus estimable état d'ubucules.

En somme, et quoi qu'on dise, l'œuvre de Jarry s'est construite grâce à la gloire qu'Ubu lui apporta, même s'il fallut, très tôt, se battre contre cette renommée. Osons même avouer que cette œuvre serait peut-être restée passablement ignorée si Ubu n'avait, au cours des décennies, attiré sur elle l'attention de quelques esprits agiles (rappelons que c'est à Ubu que ces parfaits connaisseurs de l'œuvre d'Alfred Jarry que sont les membres du Collège de 'Pataphysique consacrèrent leur premier numéro spécial).

Puisque aussi bien elle est consubstantielle à Ubu, il nous faut dire deux mots de cette science, la 'Pata-

physique, qui est la *Science. La lettre d'Henri Morin à Charles Chassé, publiée dans nos documents, nous apprend que, dès le lycée, Jarry développait la théorie de l'égalité des contraires. Ce n'est guère étonnant. Cette doctrine qui, à bien des égards (et dans tous les sens de ce mot), est insaisissable, illumine l'œuvre de Jarry. Mais que l'on ne se méprenne pas : Jarry n'a jamais écrit que le vrai et le faux sont la même chose* — ce qui ne voudrait rien dire — *mais bien que d'un certain point de vue, qui ne peut être nôtre, étant seul réservé au pataphysicien suprême (entendons : Faustroll), cela est* égal. *Il nous est en effet impossible de concevoir* du *vrai sans qu'il y ait* du *faux, et affirmer qu'on peut être* dans *le vrai, sphériquement parlant (ce qui seul importe), reviendrait à dire que l'on est* Dieu. *Or, ne l'étant jamais, on ne fait, comme on sait, que tendre à l'être, ne serait-ce que pour être homme un peu — car on ne peut l'être totalement, sinon l'on serait Dieu* également.

L'identité des contraires n'est donc ni un ornement du discours ni un aspect superficiel du texte jarryque, c'est avant tout une expression qui prête à confusion. Le retour du balancier, comme le retournement du sablier qui clôt les Minutes, *n'implique pas l'identité de toute chose, ce qui ne serait qu'orientalement mystique, mais affirme simplement l'impossibilité de définir le lieu où le Plus et le Moins s'engendrent. Jarry, d'instinct, exacerba la question qui reste sans réponse. Mais Jarry attendait-il une réponse ? « Il n'y a pas de solution parce qu'il n'y a pas de problème » (Duchamp).*

En vérité, le seul commentaire possible d'Ubu, c'est l'œuvre tout entière de Jarry, mais surtout — et ce serait suffisant — cette œuvre unique qu'est César-Antechrist. *L'erreur de tous les éditeurs est de vouloir « autonomiser » Ubu. Avec, pour conséquence inévitable, cette erreur plus grave de faire d'Ubu une « satire », satire de l'un, satire de l'autre, selon le temps, les mœurs, les régimes et ce qu'il est convenu d'appeler les opinions. Cette erreur, les contemporains ne manquèrent pas de la commettre, à deux ou trois exceptions près dont l'inattendu Catulle Mendès. Il est consternant qu'elle se perpétue aujourd'hui, alors que nous avons aiguisé nos méthodes de lecture. Toute approche d'Ubu par la psychanalyse, par la socio-critique, par la linguistique, ne peut vraiment, hors* César-Antechrist, *que tourner autour d'Ubu, arracher quelques lambeaux de sa capeline.*

*Une psychanalyse d'*Ubu roi *a été tentée naguère, avec un succès des plus médiocres, en un temps où la « psychocritique » était bien loin de disposer des outils qui sont les siens aujourd'hui. Mais aboutirions-nous maintenant par la psychanalyse du texte d'*Ubu roi *et d'*Ubu cocu *— qui sont œuvres collectives, nées des fantasmes de plusieurs générations de lycéens — ou d'*Ubu enchaîné *— qui conserve, quoique atténués, maints éléments potachiques, à éclairer notre lanterne ? Rien n'est moins sûr. (Fagus définissait, au début du siècle,* Ubu *comme une « autobiographie collective », mais il songeait plus sans doute à une autobiographie de la société tout entière qu'à celle des lycéens pervers qui avaient fabriqué et empli d'eux-mêmes le fabuleux*

*et démiurgique Sagouin.) En revanche, il y aurait
sans doute profit à analyser Ubu dans l'œuvre globale
de Jarry. Pourquoi Jarry s'est-il approprié Ubu qui
n'était pas de lui, qui n'était pas lui ? Observer — en
se fondant sur les témoignages parfois contradictoires,
des deux principaux co-auteurs de la geste, les frères
Charles et Henri Morin — que Jarry y a instillé une
dose de sexualité absente des élucubrations originelles,
qu'il a haussé le texte du scatologique à l'érotique,
trouver preuve de cet infléchissement dans la transformation de certains mots (ainsi des Salopins aux
Palotins), c'est bien (et les études linguistiques ne
sont pas vaines) ; il demeure que les situations ubiques
et l'attirail de tortures du Père Ubu existaient, tels
quels, dans les premiers écrits de Rennes ; l'action personnelle de Jarry sur quelques mots du texte initial
n'a fait que rendre plus évidentes des pulsions enfan-
tines et puis adolescentes décelables avant même ce
travail de réécriture. Au demeurant, certains mots qui
assurent, dit-on, le lien — voire la confusion — du
sexe et de la merdre (ainsi cornegidouille) sont attestés
dès l'aube hébertique. Enfin, le sexe traverse et meut
tout* Ubu cocu, *ce sexe fût-il connu de Jarry par des
tas de bouquins où il était traité avec une précision
médicale et totalement ignoré, cher innocent, dudit
Henri Morin. On remarquera que le sexe (vu par des
« enfants » de quinze ou seize ans) marque sa présence
avec beaucoup plus d'insistance dans les premières
versions rennaises d'*Ubu cocu *(auxquelles contribua
Henri Morin) que dans le texte remanié par Jarry
adulte à l'intention de la scène de l'Œuvre.*

De plus, quel que soit l'intérêt — et il n'est pas mince — des études du lexique des Ubus, et nous ne pouvons mieux faire que de renvoyer à l'ouvrage de Michel Arrivé : Les Langages de Jarry *(il s'agit surtout du langage des Ubus), la question essentielle, pour nous, reste ouverte qui est de savoir ou pour mieux dire de comprendre, pourquoi Jarry a fait d'Ubu un personnage* littéraire *et pourquoi il le fait intervenir très volontairement et* d'abord *dans des œuvres nullement « satiriques » mais intensément poétiques comme* Les Minutes de sable mémorial *et dans* César-Antechrist, *machinerie dramatique somptueuse, jamais jouée de son temps et pas davantage de nos jours.*

L'œuvre de Jarry est un parfait modèle d'intertextualité ; elle répond à toutes les définitions — fort variées — de ce concept, un des plus riches mis en valeur ces dernières décennies ; pour retenir un unique aspect du phénomène, on remarquera l'incessante réutilisation des débris, scories et braises s'alimentant à l'inextinguible foyer d'Ubu dont l'ombilic symbolise l'éternelle création des mondes. Ubu est une œuvre littéraire *— et voulue telle par Jarry — parce qu'elle est productrice de littérature. Ubu œuvre littéraire, Ubu personnage littéraire et — mieux encore — auteur d'une œuvre littéraire (notre agnosticisme nous retient d'affirmer de toute œuvre littéraire), l'écrivain Jarry, un des plus purs et savants écrivains de son siècle, s'identifiera à lui comme on l'a dit cent fois (mais les témoignages, la biographie corroborent l'œuvre elle-même). Ubu sera aussi pour lui le suprême refuge devant* *l'indifférence, l'incompréhension, l'adversité. Littérairement (histoire littéraire), il y a quelque justesse à observer qu'Ubu a dissimulé tout le « reste » de l'œuvre de Jarry, reste immense qu'Ubu éclaire mais sans qui Ubu n'est rien. Risquant de tuer d'un coup de revolver le sculpteur Manolo, le Père Ubu (car cette défroque colle désormais à la peau de Jarry) conclura : « N'est-ce pas que c'était beau comme littérature ? »*

Ubu c'est ce personnage lâché sur une scène de théâtre parce qu'il a été imaginé pour elle, rebâtissant le théâtre à son goût et selon sa souveraine décision, parce qu'il n'est que théâtre, étant tout le théâtre.

Noël Arnaud,
Henri Bordillon.

Ubu roi

Ubu roi *a été représenté au Théâtre de l'Œuvre (10 décembre 1896), avec le concours de Mmes* Louise France *(Mère Ubu) et* Irma Perrot *(la Reine Rosemonde) ; de MM.* Gémier *(Père Ubu),* Dujeu *(le Roi Venceslas),* Nolot *(le Czar),* G. Flandre *(Capitaine Bordure),* Buteaux, Charley, Séverin-Mars, Lugné-Poe, Verse, Dally, Ducaté, Carpentier, Michelez, *etc. — aux Pantins (janvier-février 1898)*[1].

CE DRAME EST DÉDIÉ[1]

À

MARCEL SCHWOB

> *Adonc le Père Ubu hoscha la poire,
> dont fut depuis nommé par les An-
> glois Shakespeare, et avez de lui sous
> ce nom maintes belles tragœdies par
> escript.*

Véritable Portrait de Monsieur Ubu
(*dans l'édition originale d'*Ubu roi,
éditions du Mercure de France. 1896).

PERSONNAGES

PÈRE UBU[1].
MÈRE UBU.
CAPITAINE BORDURE[2].
LE ROI VENCESLAS[3].
LA REINE ROSEMONDE[4].
BOLESLAS ⎫
LADISLAS ⎬ *leurs fils.*
BOUGRELAS ⎭
LES OMBRES DES ANCÊ-
  TRES.
LE GÉNÉRAL LASCY[5].
STANISLAS LECZINSKI[6].
JEAN SOBIESKI[7].
NICOLAS RENSKY.
L'EMPEREUR ALEXIS[8].
GIRON ⎫
PILE ⎬ *Palotins.*
COTICE ⎭
CONJURÉS ET SOLDATS.
PEUPLE.

MICHEL FÉDÉROVITCH.
NOBLES.
MAGISTRATS.
CONSEILLERS.
FINANCIERS.
LARBINS DE PHYNANCES.
PAYSANS.
TOUTE L'ARMÉE RUSSE.
TOUTE L'ARMÉE POLO-
  NAISE.
LES GARDES DE LA MÈRE
  UBU.
UN CAPITAINE.
L'OURS.
LE CHEVAL À PHYNANCES.
LA MACHINE À DÉCERVE-
  LER.
L'ÉQUIPAGE.
LE COMMANDANT.

ACTE PREMIER

SCÈNE PREMIÈRE

PÈRE UBU, MÈRE UBU

PÈRE UBU

Merdre[1].

MÈRE UBU

Oh ! voilà du joli, Père Ubu, vous estes un fort grand voyou.

PÈRE UBU

Que ne vous assom'je, Mère Ubu !

MÈRE UBU

Ce n'est pas moi, Père Ubu, c'est un autre qu'il faudrait assassiner.

PÈRE UBU

De par ma chandelle verte, je ne comprends pas.

MÈRE UBU

Comment, Père Ubu, vous estes content de votre sort ?

PÈRE UBU

De par ma chandelle verte, merdre, madame, certes oui, je suis content. On le serait à moins : capitaine de dragons, officier de confiance du roi Venceslas, décoré de l'ordre de l'Aigle Rouge de Pologne et ancien roi d'Aragon, que voulez-vous de mieux ?

MÈRE UBU

Comment ! après avoir été roi d'Aragon vous vous contentez de mener aux revues une cinquantaine d'estafiers armés de coupe-choux, quand vous pourriez faire succéder sur votre fiole la couronne de Pologne à celle d'Aragon ?

PÈRE UBU

Ah ! Mère Ubu, je ne comprends rien de ce que tu dis.

MÈRE UBU

Tu es si bête !

PÈRE UBU

De par ma chandelle verte, le roi Venceslas est encore bien vivant ; et même en admettant qu'il meure, n'a-t-il pas des légions d'enfants ?

MÈRE UBU

Qui t'empêche de massacrer toute la famille et de te mettre à leur place ?

PÈRE UBU

Ah ! Mère Ubu, vous me faites injure et vous allez passer tout à l'heure par la casserole.

MÈRE UBU

Eh ! pauvre malheureux, si je passais par la casserole, qui te raccommoderait tes fonds de culotte ?

PÈRE UBU

Eh vraiment ! et puis après ? N'ai-je pas un cul comme les autres ?

MÈRE UBU

À ta place, ce cul, je voudrais l'installer sur un trône. Tu pourrais augmenter indéfiniment tes richesses, manger fort souvent de l'andouille et rouler carrosse par les rues.

PÈRE UBU

Si j'étais roi, je me ferais construire une grande capeline comme celle que j'avais en Aragon et que ces gredins d'Espagnols m'ont impudemment volée[1].

MÈRE UBU

Tu pourrais aussi te procurer un parapluie et un grand caban qui te tomberait sur les talons.

PÈRE UBU

Ah ! je cède à la tentation. Bougre de merdre, merdre de bougre, si jamais je le rencontre au coin d'un bois, il passera un mauvais quart d'heure.

MÈRE UBU

Ah ! bien, Père Ubu, te voilà devenu un véritable homme.

PÈRE UBU

Oh non ! moi, capitaine de dragons, massacrer le roi de Pologne ! plutôt mourir !

MÈRE UBU, *à part.*

Oh ! merdre ! *(Haut.)* Ainsi tu vas rester gueux comme un rat, Père Ubu.

PÈRE UBU

Ventrebleu, de par ma chandelle verte, j'aime mieux être gueux comme un maigre et brave rat que riche comme un méchant et gras chat.

MÈRE UBU

Et la capeline ? et le parapluie ? et le grand caban ?

PÈRE UBU

Eh bien, après, Mère Ubu ? *(Il s'en va en claquant la porte.)*

MÈRE UBU, *seule.*

Vrout, merdre, il a été dur à la détente, mais vrout, merdre, je crois pourtant l'avoir ébranlé. Grâce à Dieu et à moi-même, peut-être dans huit jours serai-je reine de Pologne.

SCÈNE II

La scène représente une chambre de la maison du Père Ubu où une table splendide est dressée.

PÈRE UBU, MÈRE UBU

MÈRE UBU

Eh ! nos invités sont bien en retard.

PÈRE UBU

Oui, de par ma chandelle verte. Je crève de faim. Mère Ubu, tu es bien laide aujourd'hui. Est-ce parce que nous avons du monde ?

MÈRE UBU, *haussant les épaules.*

Merdre.

PÈRE UBU, *saisissant un poulet rôti.*

Tiens, j'ai faim. Je vais mordre dans cet oiseau.
C'est un poulet, je crois. Il n'est pas mauvais.

MÈRE UBU

Que fais-tu, malheureux ? Que mangeront nos
invités ?

PÈRE UBU

Ils en auront encore bien assez. Je ne touche-
rai plus à rien. Mère Ubu, va donc voir à la fenêtre si nos invités arrivent.

MÈRE UBU, *y allant.*

Je ne vois rien. (*Pendant ce temps le Père Ubu dé-
robe une rouelle de veau.*)

MÈRE UBU

Ah ! voilà le capitaine Bordure et ses partisans
qui arrivent. Que manges-tu donc, Père Ubu ?

PÈRE UBU

Rien, un peu de veau.

MÈRE UBU

Ah ! le veau ! le veau ! veau ! Il a mangé le
veau ! Au secours !

PÈRE UBU

De par ma chandelle verte, je te vais arracher les yeux.

La porte s'ouvre.

SCÈNE III

PÈRE UBU, MÈRE UBU,
CAPITAINE BORDURE *et ses partisans.*

MÈRE UBU

Bonjour, messieurs, nous vous attendons avec impatience. Asseyez-vous.

CAPITAINE BORDURE

Bonjour, madame. Mais où est donc le Père Ubu ?

PÈRE UBU

Me voilà ! me voilà ! Sapristi, de par ma chandelle verte, je suis pourtant assez gros.

CAPITAINE BORDURE

Bonjour, Père Ubu. Asseyez-vous, mes hommes. *(Ils s'asseyent tous.)*

PÈRE UBU

Ouf, un peu plus, j'enfonçais ma chaise.

CAPITAINE BORDURE

Eh ! Mère Ubu ! que nous donnez-vous de bon aujourd'hui ?

MÈRE UBU

Voici le menu.

PÈRE UBU

Oh ! ceci m'intéresse.

MÈRE UBU

Soupe polonaise, côtes de rastron[1], veau, poulet, pâté de chien, croupions de dinde, charlotte russe…

PÈRE UBU

Eh ! en voilà assez, je suppose. Y en a-t-il encore ?

MÈRE UBU, *continuant.*

Bombe, salade, fruits, dessert, bouilli, topinambours, choux-fleurs à la merdre.

PÈRE UBU

Eh ! me crois-tu empereur d'Orient pour faire de telles dépenses ?

MÈRE UBU

Ne l'écoutez pas, il est imbécile.

PÈRE UBU

Ah ! je vais aiguiser mes dents contre vos mollets.

MÈRE UBU

Dîne plutôt, Père Ubu. Voilà de la polonaise.

PÈRE UBU

Bougre, que c'est mauvais.

CAPITAINE BORDURE

Ce n'est pas bon, en effet.

MÈRE UBU

Tas d'Arabes, que vous faut-il ?

PÈRE UBU, *se frappant le front.*

Oh ! j'ai une idée. Je vais revenir tout à l'heure. *(Il s'en va.)*

MÈRE UBU

Messieurs, nous allons goûter du veau.

CAPITAINE BORDURE

Il est très bon, j'ai fini.

MÈRE UBU

Aux croupions, maintenant.

CAPITAINE BORDURE

Exquis, exquis ! Vive la mère Ubu.

TOUS

Vive la mère Ubu.

PÈRE UBU, *rentrant.*

Et vous allez bientôt crier vive le Père Ubu. *(Il tient un balai innommable*[1] *à la main et le lance sur le festin.)*

MÈRE UBU

Misérable, que fais-tu ?

PÈRE UBU

Goûtez un peu. *(Plusieurs goûtent et tombent empoisonnés.)*

PÈRE UBU

Mère Ubu, passe-moi les côtelettes de rastron, que je serve.

MÈRE UBU

Les voici.

PÈRE UBU

À la porte tout le monde ! Capitaine Bordure, j'ai à vous parler.

LES AUTRES

Eh ! nous n'avons pas dîné.

PÈRE UBU

Comment, vous n'avez pas dîné ! À la porte tout le monde ! Restez, Bordure. (*Personne ne bouge.*)

PÈRE UBU

Vous n'êtes pas partis ? De par ma chandelle verte, je vais vous assommer de côtes de rastron. (*Il commence à en jeter.*)

TOUS

Oh ! Aïe ! Au secours ! Défendons-nous ! malheur ! je suis mort !

PÈRE UBU

Merdre, merdre, merdre. À la porte ! je fais mon effet.

TOUS

Sauve qui peut ! Misérable Père Ubu ! traître et gueux voyou !

PÈRE UBU

Ah ! les voilà partis. Je respire, mais j'ai fort mal dîné. Venez, Bordure. (*Ils sortent avec la Mère Ubu.*)

SCÈNE IV

PÈRE UBU, MÈRE UBU, CAPITAINE BORDURE

PÈRE UBU

Eh bien, capitaine, avez-vous bien dîné ?

CAPITAINE BORDURE

Fort bien, monsieur, sauf la merdre.

PÈRE UBU

Eh ! la merdre n'était pas mauvaise.

MÈRE UBU

Chacun son goût.

PÈRE UBU

Capitaine Bordure, je suis décidé à vous faire
duc de Lithuanie.

CAPITAINE BORDURE

Comment, je vous croyais fort gueux, Père
Ubu.

PÈRE UBU

Dans quelques jours, si vous voulez, je règne
en Pologne.

CAPITAINE BORDURE

Vous allez tuer Venceslas ?

PÈRE UBU

Il n'est pas bête, ce bougre, il a deviné.

CAPITAINE BORDURE

S'il s'agit de tuer Venceslas, j'en suis. Je suis son mortel ennemi et je réponds de mes hommes.

PÈRE UBU, *se jetant sur lui
pour l'embrasser.*

Oh ! Oh ! je vous aime beaucoup, Bordure.

CAPITAINE BORDURE

Eh ! vous empestez, Père Ubu. Vous ne vous lavez donc jamais ?

PÈRE UBU

Rarement.

MÈRE UBU

Jamais !

PÈRE UBU

Je vais te marcher sur les pieds.

MÈRE UBU

Grosse merdre !

PÈRE UBU

Allez, Bordure, j'en ai fini avec vous. Mais par ma chandelle verte, je jure sur la Mère Ubu de vous faire duc de Lithuanie.

MÈRE UBU

Mais…

PÈRE UBU

Tais-toi, ma douce enfant.

Ils sortent.

SCÈNE V

PÈRE UBU, MÈRE UBU, UN MESSAGER

PÈRE UBU

Monsieur, que voulez-vous ? fichez le camp, vous me fatiguez.

LE MESSAGER

Monsieur, vous êtes appelé de par le roi.

Il sort.

PÈRE UBU

Oh ! merdre, jarnicotonbleu[1], de par ma chandelle verte, je suis découvert, je vais être décapité ! hélas ! hélas ! !

MÈRE UBU

Quel homme mou ! et le temps presse.

PÈRE UBU

Oh ! j'ai une idée : je dirai que c'est la Mère Ubu et Bordure.

MÈRE UBU

Ah ! gros P.U., si tu fais ça…

PÈRE UBU

Eh ! j'y vais de ce pas.

Il sort.

MÈRE UBU, *courant après lui.*

Oh ! Père Ubu, Père Ubu, je te donnerai de l'andouille.

Elle sort.

PÈRE UBU, *dans la coulisse.*

Oh ! merdre ! tu en es une fière, d'andouille.

SCÈNE VI

Le palais du roi.

LE ROI VENCESLAS, *entouré de ses officiers ;*
BORDURE ; *les fils du roi*, BOLESLAS,
LADISLAS *et* BOUGRELAS.
Puis LE PÈRE UBU.

PÈRE UBU, *entrant.*

Oh ! vous savez, ce n'est pas moi, c'est la Mère Ubu et Bordure.

LE ROI

Qu'as-tu, Père Ubu ?

BORDURE

Il a trop bu.

LE ROI

Comme moi ce matin.

PÈRE UBU

Oui, je suis saoul, c'est parce que j'ai bu trop de vin de France.

LE ROI

Père Ubu, je tiens à récompenser tes nombreux services comme capitaine de dragons, et je te fais aujourd'hui comte de Sandomir.

PÈRE UBU

Ô monsieur Venceslas, je ne sais comment vous remercier.

LE ROI

Ne me remercie pas, Père Ubu, et trouve-toi demain matin à la grande revue.

PÈRE UBU

J'y serai, mais acceptez, de grâce, ce petit mirliton.

Il présente au roi un mirliton.

LE ROI

Que veux-tu à mon âge que je fasse d'un mirliton ? Je le donnerai à Bougrelas.

LE JEUNE BOUGRELAS

Est-il bête, ce père Ubu.

PÈRE UBU

Et maintenant, je vais foutre le camp. *(Il tombe
en se retournant.)* Oh ! aïe ! au secours ! De par
ma chandelle verte, je me suis rompu l'intestin
et crevé la bouzine[1] !

LE ROI, *le relevant.*

Père Ubu, vous estes-vous fait mal ?

PÈRE UBU

Oui certes, et je vais sûrement crever. Que
deviendra la Mère Ubu ?

LE ROI

Nous pourvoirons à son entretien.

PÈRE UBU

Vous avez bien de la bonté de reste. *(Il sort.)*
Oui, mais, roi Venceslas, tu n'en seras pas moins
massacré.

SCÈNE VII

La maison du Père Ubu.

GIRON, PILE, COTICE, PÈRE UBU, MÈRE UBU,
Conjurés et Soldats, CAPITAINE BORDURE

PÈRE UBU

Eh ! mes bons amis, il est grand temps d'arrêter le plan de la conspiration. Que chacun donne son avis. Je vais d'abord donner le mien, si vous le permettez.

CAPITAINE BORDURE

Parlez, Père Ubu.

PÈRE UBU

Eh bien, mes amis, je suis d'avis d'empoisonner simplement le roi en lui fourrant de l'arsenic dans son déjeuner. Quand il voudra le brouter il tombera mort, et ainsi je serai roi.

TOUS

Fi, le sagouin !

PÈRE UBU

Eh quoi, cela ne vous plaît pas ? Alors que Bordure donne son avis.

CAPITAINE BORDURE

Moi, je suis d'avis de lui ficher un grand coup d'épée qui le fendra de la tête à la ceinture[1].

TOUS

Oui ! voilà qui est noble et vaillant.

PÈRE UBU

Et s'il vous donne des coups de pied ? Je me rappelle maintenant qu'il a pour les revues des souliers de fer qui font très mal. Si je savais, je filerais vous dénoncer pour me tirer de cette sale affaire, et je pense qu'il me donnerait aussi de la monnaie.

MÈRE UBU

Oh ! le traître, le lâche, le vilain et plat ladre.

TOUS

Conspuez le Père Ubu !

PÈRE UBU

Hé, messieurs, tenez-vous tranquilles si vous ne voulez visiter mes poches. Enfin je consens à m'exposer pour vous. De la sorte, Bordure, tu te charges de pourfendre le roi.

CAPITAINE BORDURE

Ne vaudrait-il pas mieux nous jeter tous à la fois sur lui en braillant et gueulant ? Nous aurions chance ainsi d'entraîner les troupes.

PÈRE UBU

Alors, voilà. Je tâcherai de lui marcher sur les pieds, il regimbera, alors je lui dirai : MERDRE, et à ce signal vous vous jetterez sur lui.

MÈRE UBU

Oui, et dès qu'il sera mort tu prendras son sceptre et sa couronne.

CAPITAINE BORDURE

Et je courrai avec mes hommes à la poursuite de la famille royale.

PÈRE UBU

Oui, et je te recommande spécialement le jeune Bougrelas.

Ils sortent.

PÈRE UBU, *courant après et les faisant revenir.*

Messieurs, nous avons oublié une cérémonie indispensable, il faut jurer de nous escrimer vaillamment.

CAPITAINE BORDURE

Et comment faire ? Nous n'avons pas de prêtre.

PÈRE UBU

La Mère Ubu va en tenir lieu.

TOUS

Eh bien, soit.

PÈRE UBU

Ainsi vous jurez de bien tuer le roi ?

TOUS

Oui, nous le jurons. Vive le Père Ubu !

FIN DU PREMIER ACTE

ACTE II

SCÈNE PREMIÈRE

Le palais du roi.

VENCESLAS, LA REINE ROSEMONDE,
BOLESLAS, LADISLAS *et* BOUGRELAS

LE ROI

Monsieur Bougrelas, vous avez été ce matin
fort impertinent avec Monsieur Ubu, chevalier de
mes ordres et comte de Sandomir[1]. C'est pourquoi je vous défends de paraître à ma revue.

LA REINE

Cependant, Venceslas, vous n'auriez pas trop
de toute votre famille pour vous défendre.

LE ROI

Madame, je ne reviens jamais sur ce que j'ai
dit. Vous me fatiguez avec vos sornettes.

LE JEUNE BOUGRELAS

Je me soumets, monsieur mon père.

LA REINE

Enfin, sire, êtes-vous toujours décidé à aller à cette revue ?

LE ROI

Pourquoi non, madame ?

LA REINE

Mais, encore une fois, ne l'ai-je pas vu en songe vous frappant de sa masse d'armes et vous jetant dans la Vistule, et un aigle comme celui qui figure dans les armes de Pologne lui plaçant la couronne sur la tête ?

LE ROI

À qui ?

LA REINE

Au Père Ubu.

LE ROI

Quelle folie. Monsieur de Ubu est un fort bon gentilhomme, qui se ferait tirer à quatre chevaux pour mon service.

LA REINE ET BOUGRELAS

Quelle erreur.

LE ROI

Taisez-vous, jeune sagouin. Et vous, madame,
pour vous prouver combien je crains peu Monsieur Ubu, je vais aller à la revue comme je suis,
sans arme et sans épée.

LA REINE

Fatale imprudence, je ne vous reverrai pas
vivant.

LE ROI

Venez, Ladislas, venez, Boleslas.
*(Ils sortent. La Reine et Bougrelas vont à la fe-
nêtre.)*

LA REINE ET BOUGRELAS

Que Dieu et le grand saint Nicolas vous gar-
dent.

LA REINE

Bougrelas, venez dans la chapelle avec moi
prier pour votre père et vos frères.

SCÈNE II

Le champ des revues.

L'armée polonaise, LE ROI, BOLESLAS,
LADISLAS, PÈRE UBU, CAPITAINE BORDURE
et ses hommes, GIRON, PILE, COTICE

LE ROI

Noble Père Ubu, venez près de moi avec votre
suite pour inspecter les troupes.

PÈRE UBU, *aux siens.*

Attention, vous autres. *(Au Roi.)* On y va, monsieur, on y va. *(Les hommes du Père Ubu entourent
le Roi.)*

LE ROI

Ah ! voici le régiment des gardes à cheval de
Dantzick. Ils sont fort beaux, ma foi.

PÈRE UBU

Vous trouvez ? Ils me paraissent misérables.
Regardez celui-ci. *(Au soldat.)* Depuis combien de
temps ne t'es-tu débarbouillé, ignoble drôle ?

LE ROI

Mais ce soldat est fort propre. Qu'avez-vous
donc, Père Ubu ?

PÈRE UBU

Voilà ! *(Il lui écrase le pied.)*

LE ROI

Misérable !

PÈRE UBU

MERDRE. À moi, mes hommes !

BORDURE

Hurrah ! en avant ! *(Tous frappent le Roi, un Palotin explose.)*

LE ROI

Oh ! au secours ! Sainte Vierge, je suis mort.

BOLESLAS, *à Ladislas.*

Qu'est-ce là ? Dégaînons[1].

PÈRE UBU

Ah ! j'ai la couronne ! Aux autres, maintenant.

CAPITAINE BORDURE

Sus aux traîtres ! *(Les fils du Roi s'enfuient, tous les poursuivent.)*

SCÈNE III

LA REINE *et* BOUGRELAS

LA REINE

Enfin, je commence à me rassurer.

BOUGRELAS

Vous n'avez aucun sujet de crainte.

> *Une effroyable clameur se fait entendre au dehors.*

BOUGRELAS

Ah ! que vois-je ? Mes deux frères poursuivis par le Père Ubu et ses hommes.

LA REINE

Ô mon Dieu ! Sainte Vierge, ils perdent, ils perdent du terrain !

BOUGRELAS

Toute l'armée suit le Père Ubu. Le Roi n'est plus là. Horreur ! Au secours !

LA REINE

Voilà Boleslas mort ! Il a reçu une balle.

BOUGRELAS

Eh ! *(Ladislas se retourne.)* Défends-toi ! Hurrah, Ladislas.

LA REINE

Oh ! Il est entouré.

BOUGRELAS

C'en est fait de lui. Bordure vient de le couper en deux comme une saucisse.

LA REINE

Ah ! Hélas ! Ces furieux pénètrent dans le palais, ils montent l'escalier.

La clameur augmente.

LA REINE ET BOUGRELAS, *à genoux.*

Mon Dieu, défendez-nous.

BOUGRELAS

Oh ! ce Père Ubu ! le coquin, le misérable, si je le tenais…

SCÈNE IV

LES MÊMES, *la porte est défoncée,*
LE PÈRE UBU *et les forcenés pénètrent.*

PÈRE UBU

Eh ! Bougrelas, que me veux-tu faire ?

BOUGRELAS

Vive Dieu ! je défendrai ma mère jusqu'à la mort ! Le premier qui fait un pas est mort.

PÈRE UBU

Oh ! Bordure, j'ai peur ! laissez-moi m'en aller.

UN SOLDAT *avance.*

Rends-toi, Bougrelas !

LE JEUNE BOUGRELAS

Tiens, voyou ! voilà ton compte ! (*Il lui fend le crâne.*)

LA REINE

Tiens bon, Bougrelas, tiens bon !

PLUSIEURS *avancent.*

Bougrelas, nous te promettons la vie sauve.

BOUGRELAS

Chenapans, sacs à vins, sagouins payés !

> *Il fait le moulinet avec son épée et en fait un massacre.*

PÈRE UBU

Oh ! je vais bien en venir à bout tout de même !

BOUGRELAS

Mère, sauve-toi par l'escalier secret.

LA REINE

Et toi, mon fils, et toi ?

BOUGRELAS

Je te suis.

PÈRE UBU

Tâchez d'attraper la reine. Ah ! la voilà partie. Quant à toi, misérable !... *(Il s'avance vers Bougrelas.)*

BOUGRELAS

Ah ! vive Dieu ! voilà ma vengeance ! *(Il lui découd la boudouille d'un terrible coup d'épée.)* Mère, je te suis ! *(Il disparaît par l'escalier secret.)*

SCÈNE V

Une caverne dans les montagnes.

Le jeune BOUGRELAS *entre suivi de* ROSEMONDE.

BOUGRELAS

Ici nous serons en sûreté.

LA REINE

Oui, je le crois ! Bougrelas, soutiens-moi ! *(Elle tombe sur la neige.)*

BOUGRELAS

Ha ! qu'as-tu, ma mère ?

LA REINE

Je suis bien malade, crois-moi, Bougrelas. Je
n'en ai plus que pour deux heures à vivre.

BOUGRELAS

Quoi ! le froid t'aurait-il saisie ?

LA REINE

Comment veux-tu que je résiste à tant de
coups ? Le roi massacré, notre famille détruite,
et toi, représentant de la plus noble race qui ait
jamais porté l'épée, forcé de t'enfuir dans les
montagnes comme un contrebandier.

BOUGRELAS

Et par qui, grand Dieu ! par qui ? Un vulgaire
Père Ubu, aventurier sorti on ne sait d'où, vile
crapule, vagabond honteux ! Et quand je pense
que mon père l'a décoré et fait comte et que le
lendemain ce vilain n'a pas eu honte de porter
la main sur lui.

LA REINE

Ô Bougrelas ! Quand je me rappelle combien
nous étions heureux avant l'arrivée de ce Père
Ubu ! Mais maintenant, hélas ! tout est changé[1] !

BOUGRELAS

Que veux-tu ? Attendons avec espérance et ne renonçons jamais à nos droits.

LA REINE

Je te le souhaite, mon cher enfant, mais pour moi je ne verrai pas cet heureux jour.

BOUGRELAS

Eh ! qu'as-tu ? Elle pâlit, elle tombe, au secours ! Mais je suis dans un désert ! Ô mon Dieu ! son cœur ne bat plus. Elle est morte ! Est-ce possible ? Encore une victime du Père Ubu ! *(Il se cache la figure dans les mains et pleure.)* Ô mon Dieu ! qu'il est triste de se voir seul à quatorze ans avec une vengeance terrible à poursuivre ! *(Il tombe en proie au plus violent désespoir.)*

> *Pendant ce temps les Âmes de Venceslas, de Boleslas, de Ladislas, de Rosemonde entrent dans la grotte, leurs Ancêtres les accompagnent et remplissent la grotte[1]. Le plus vieux s'approche de Bougrelas et le réveille doucement.*

BOUGRELAS

Eh ! que vois-je ? toute ma famille, mes ancêtres... Par quel prodige ?

L'OMBRE

Apprends, Bougrelas, que j'ai été pendant ma vie le seigneur Mathias de Kœnigsberg[1], le premier roi et le fondateur de la maison. Je te remets le soin de notre vengeance. *(Il lui donne une grande épée.)* Et que cette épée que je te donne n'ait de repos que quand elle aura frappé de mort l'usurpateur.

> *Tous disparaissent, et Bougrelas reste seul dans l'attitude de l'extase.*

SCÈNE VI

Le palais du roi.

PÈRE UBU, MÈRE UBU, CAPITAINE BORDURE

PÈRE UBU

Non, je ne veux pas, moi ! Voulez-vous me ruiner pour ces bouffres ?

CAPITAINE BORDURE

Mais enfin, Père Ubu, ne voyez-vous pas que le peuple attend le don de joyeux avènement ?

MÈRE UBU

Si tu ne fais pas distribuer des viandes et de l'or, tu seras renversé d'ici deux heures.

PÈRE UBU

Des viandes, oui ! de l'or, non ! Abattez trois vieux chevaux, c'est bien bon pour de tels sagouins.

MÈRE UBU

Sagouin toi-même ! Qui m'a bâti un animal de cette sorte ?

PÈRE UBU

Encore une fois, je veux m'enrichir, je ne lâcherai pas un sou.

MÈRE UBU

Quand on a entre les mains tous les trésors de la Pologne.

CAPITAINE BORDURE

Oui, je sais qu'il y a dans la chapelle un immense trésor, nous le distribuerons.

PÈRE UBU

Misérable, si tu fais ça !

CAPITAINE BORDURE

Mais, Père Ubu, si tu ne fais pas de distributions le peuple ne voudra pas payer les impôts.

PÈRE UBU

Est-ce bien vrai ?

MÈRE UBU

Oui, oui !

PÈRE UBU

Oh, alors je consens à tout. Réunissez trois millions, cuisez cent cinquante bœufs et moutons, d'autant plus que j'en aurai aussi !

Ils sortent.

SCÈNE VII

La cour du palais pleine de peuple.

PÈRE UBU *couronné*, MÈRE UBU,
CAPITAINE BORDURE,
LARBINS *chargés de viande.*

PEUPLE

Voilà le Roi ! Vive le Roi ! hurrah !

PÈRE UBU, *jetant de l'or.*

Tenez, voilà pour vous. Ça ne m'amusait guère de vous donner de l'argent, mais vous savez, c'est la Mère Ubu qui a voulu. Au moins promettez-moi de bien payer les impôts.

TOUS

Oui, oui !

CAPITAINE BORDURE

Voyez, Mère Ubu, s'ils se disputent cet or. Quelle bataille !

MÈRE UBU

Il est vrai que c'est horrible. Pouah ! en voilà un qui a le crâne fendu.

PÈRE UBU

Quel beau spectacle ! Amenez d'autres caisses d'or.

CAPITAINE BORDURE

Si nous faisions une course.

PÈRE UBU

Oui, c'est une idée. *(Au Peuple.)* Mes amis, vous voyez cette caisse d'or, elle contient trois cent mille nobles à la rose en or, en monnaie polonaise et de bon aloi. Que ceux qui veulent courir se mettent au bout de la cour. Vous partirez quand j'agiterai mon mouchoir et le premier arrivé aura la caisse. Quant à ceux qui ne gagneront pas, ils auront comme consolation cette autre caisse qu'on leur partagera.

TOUS

Oui ! Vive le Père Ubu ! Quel bon roi ! On n'en voyait pas tant du temps de Venceslas.

PÈRE UBU, *à la Mère Ubu, avec joie.*

Écoute-les ! *(Tout le Peuple va se ranger au bout de la cour.)*

PÈRE UBU

Une, deux, trois ! Y êtes-vous ?

TOUS

Oui ! oui !

PÈRE UBU

Partez ! *(Ils partent en se culbutant. Cris et tumulte.)*

CAPITAINE BORDURE

Ils approchent ! ils approchent !

PÈRE UBU

Eh ! le premier perd du terrain.

MÈRE UBU

Non, il regagne maintenant.

CAPITAINE BORDURE

Oh ! il perd, il perd ! fini ! c'est l'autre ! *(Celui qui était deuxième arrive le premier.)*

TOUS

Vive Michel Fédérovitch ! Vive Michel Fédérovitch !

MICHEL FÉDÉROVITCH

Sire, je ne sais vraiment comment remercier Votre Majesté…

PÈRE UBU

Oh ! mon cher ami, ce n'est rien. Emporte ta caisse chez toi, Michel ; et vous, partagez-vous cette autre, prenez une pièce chacun jusqu'à ce qu'il n'y en ait plus.

TOUS

Vive Michel Fédérovitch ! Vive le Père Ubu !

PÈRE UBU

Et vous, mes amis, venez dîner ! Je vous ouvre aujourd'hui les portes du palais, veuillez faire honneur à ma table !

LE PEUPLE

Entrons ! Entrons ! Vive le Père Ubu ! c'est le plus noble des souverains !

> *Ils entrent dans le palais. On entend le bruit de l'orgie qui se prolonge jusqu'au lendemain. La toile tombe.*

FIN DU DEUXIÈME ACTE

ACTE III

SCÈNE PREMIÈRE

Le palais.

PÈRE UBU, MÈRE UBU

PÈRE UBU

De par ma chandelle verte, me voici roi dans ce pays. Je me suis déjà flanqué une indigestion et on va m'apporter ma grande capeline.

MÈRE UBU

En quoi est-elle, Père Ubu ? car nous avons beau être rois, il faut être économes.

PÈRE UBU

Madame ma femelle, elle est en peau de mouton, avec une agrafe et des brides en peau de chien.

MÈRE UBU

Voilà qui est beau, mais il est encore plus beau d'être rois.

PÈRE UBU

Oui, tu as eu raison, Mère Ubu.

MÈRE UBU

Nous avons une grande reconnaissance au duc de Lithuanie.

PÈRE UBU

Qui donc ?

MÈRE UBU

Eh ! le capitaine Bordure.

PÈRE UBU

De grâce, Mère Ubu, ne me parle pas de ce bouffre. Maintenant que je n'ai plus besoin de lui il peut bien se brosser le ventre, il n'aura point son duché.

MÈRE UBU

Tu as grand tort, Père Ubu, il va se tourner contre toi.

PÈRE UBU

Oh ! je le plains bien, ce petit homme, je m'en soucie autant que de Bougrelas.

MÈRE UBU

Eh ! crois-tu en avoir fini avec Bougrelas ?

PÈRE UBU

Sabre à finances, évidemment ! que veux-tu qu'il me fasse, ce petit sagouin de quatorze ans ?

MÈRE UBU

Père Ubu, fais attention à ce que je te dis. Crois-moi, tâche de t'attacher Bougrelas par tes bienfaits.

PÈRE UBU

Encore de l'argent à donner. Ah ! non, du coup ! vous m'avez fait gâcher bien vingt-deux millions.

MÈRE UBU

Fais à ta tête, Père Ubu, il t'en cuira.

PÈRE UBU

Eh bien, tu seras avec moi dans la marmite.

MÈRE UBU

Écoute, encore une fois, je suis sûre que le jeune Bougrelas l'emportera, car il a pour lui le bon droit.

PÈRE UBU

Ah ! saleté ! le mauvais droit ne vaut-il pas le bon ? Ah ! tu m'injuries, Mère Ubu, je vais te mettre en morceaux. (*La Mère Ubu se sauve poursuivie par le Père Ubu.*)

SCÈNE II

La grande salle du palais.

PÈRE UBU, MÈRE UBU,
OFFICIERS *et* SOLDATS, GIRON, PILE,
COTICE, NOBLES *enchaînés*, FINANCIERS,
MAGISTRATS, GREFFIERS

PÈRE UBU

Apportez la caisse à Nobles et le crochet à Nobles et le couteau à Nobles et le bouquin à Nobles ! ensuite, faites avancer les Nobles.

On pousse brutalement les Nobles.

MÈRE UBU

De grâce, modère-toi, Père Ubu.

PÈRE UBU

J'ai l'honneur de vous annoncer que pour enrichir le royaume je vais faire périr tous les Nobles et prendre leurs biens.

NOBLES

Horreur ! à nous, peuple et soldats !

PÈRE UBU

Amenez le premier Noble et passez-moi le crochet à Nobles. Ceux qui seront condamnés à mort, je les passerai dans la trappe, ils tomberont dans les sous-sols du Pince-Porc et de la Chambre-à-Sous, où on les décervèlera[1]. — *(Au Noble.)* Qui es-tu, bouffre ?

LE NOBLE

Comte de Vitepsk.

PÈRE UBU

De combien sont tes revenus ?

LE NOBLE

Trois millions de rixdales.

PÈRE UBU

Condamné ! *(Il le prend avec le crochet et le passe dans le trou.)*

MÈRE UBU

Quelle basse férocité !

PÈRE UBU

Second Noble, qui es-tu ? *(Le Noble ne répond rien.)* Répondras-tu, bouffre ?

LE NOBLE

Grand-duc de Posen.

PÈRE UBU

Excellent ! excellent ! Je n'en demande pas plus long. Dans la trappe. Troisième Noble, qui es-tu ? tu as une sale tête.

LE NOBLE

Duc de Courlande, des villes de Riga, de Revel et de Mitau.

PÈRE UBU

Très bien ! très bien ! Tu n'as rien autre chose ?

LE NOBLE

Rien.

PÈRE UBU

Dans la trappe, alors. Quatrième Noble, qui es-tu ?

LE NOBLE

Prince de Podolie.

PÈRE UBU

Quels sont tes revenus ?

LE NOBLE

Je suis ruiné.

PÈRE UBU

Pour cette mauvaise parole, passe dans la trappe. Cinquième Noble, qui es-tu ?

LE NOBLE

Margrave de Thorn, palatin de Polock.

PÈRE UBU

Ça n'est pas lourd. Tu n'as rien autre chose ?

LE NOBLE

Cela me suffisait.

PÈRE UBU

Eh bien ! mieux vaut peu que rien. Dans la trappe. Qu'as-tu à pigner[1], Mère Ubu ?

MÈRE UBU

Tu es trop féroce, Père Ubu.

PÈRE UBU

Eh ! je m'enrichis. Je vais faire lire MA liste de MES biens. Greffier, lisez MA liste de MES biens.

LE GREFFIER

Comté de Sandomir.

PÈRE UBU

Commence par les principautés, stupide bougre !

LE GREFFIER

Principauté de Podolie, grand-duché de Posen, duché de Courlande, comté de Sandomir, comté de Vitepsk, palatinat de Polock, margraviat de Thorn.

PÈRE UBU

Et puis après ?

LE GREFFIER

C'est tout.

PÈRE UBU

Comment, c'est tout ! Oh bien alors, en avant les Nobles, et comme je ne finirai pas de m'en-richir je vais faire exécuter tous les Nobles, et ainsi j'aurai tous les biens vacants. Allez, passez les Nobles dans la trappe. *(On empile les Nobles dans la trappe.)* Dépêchez-vous plus vite, je veux faire des lois maintenant.

PLUSIEURS

On va voir ça.

PÈRE UBU

Je vais d'abord réformer la justice, après quoi nous procéderons aux finances.

PLUSIEURS MAGISTRATS

Nous nous opposons à tout changement.

PÈRE UBU

Merdre. D'abord les magistrats ne seront plus payés.

MAGISTRATS

Et de quoi vivrons-nous ? Nous sommes pauvres.

PÈRE UBU

Vous aurez les amendes que vous prononcerez et les biens des condamnés à mort.

UN MAGISTRAT

Horreur.

DEUXIÈME

Infamie.

TROISIÈME

Scandale.

QUATRIÈME

Indignité.

TOUS

Nous nous refusons à juger dans des conditions pareilles.

PÈRE UBU

À la trappe les magistrats ! *(Ils se débattent en vain.)*

MÈRE UBU

Eh ! que fais-tu, Père Ubu ? Qui rendra maintenant la justice ?

PÈRE UBU

Tiens ! moi. Tu verras comme ça marchera bien.

MÈRE UBU

Oui, ce sera du propre.

PÈRE UBU

Allons, tais-toi, bouffresque. Nous allons maintenant, messieurs, procéder aux finances.

FINANCIERS

Il n'y a rien à changer.

PÈRE UBU

Comment, je veux tout changer, moi. D'abord je veux garder pour moi la moitié des impôts.

FINANCIERS

Pas gêné.

PÈRE UBU

Messieurs, nous établirons un impôt de dix pour cent sur la propriété, un autre sur le commerce et l'industrie, et un troisième sur les mariages et un quatrième sur les décès, de quinze francs chacun.

PREMIER FINANCIER

Mais c'est idiot, Père Ubu.

DEUXIÈME FINANCIER

C'est absurde.

TROISIÈME FINANCIER

Ça n'a ni queue ni tête.

PÈRE UBU

Vous vous fichez de moi ! Dans la trappe les financiers ! *(On enfourne les financiers.)*

MÈRE UBU

Mais enfin, Père Ubu, quel roi tu fais, tu massacres tout le monde.

PÈRE UBU

Eh merdre !

MÈRE UBU

Plus de justice, plus de finances.

PÈRE UBU

Ne crains rien, ma douce enfant, j'irai moi-même de village en village recueillir les impôts.

SCÈNE III

*Une maison de paysans
dans les environs de Varsovie.*

PLUSIEURS PAYSANS *sont assemblés.*

UN PAYSAN, *entrant.*

Apprenez la grande nouvelle. Le roi est mort, les ducs aussi et le jeune Bougrelas s'est sauvé avec sa mère dans les montagnes. De plus, le Père Ubu s'est emparé du trône.

UN AUTRE

J'en sais bien d'autres. Je viens de Cracovie, où j'ai vu emporter les corps de plus de trois cents nobles et de cinq cents magistrats qu'on a tués, et il paraît qu'on va doubler les impôts et que le Père Ubu viendra les ramasser lui-même.

TOUS

Grand Dieu ! qu'allons-nous devenir ? le Père Ubu est un affreux sagouin et sa famille est, dit-on, abominable[1].

UN PAYSAN

Mais, écoutez : ne dirait-on pas qu'on frappe à la porte ?

UNE VOIX, *au dehors.*

Cornegidouille[1] ! Ouvrez, de par ma merdre, par saint Jean, saint Pierre et saint Nicolas ! ouvrez, sabre à finances, corne finances, je viens chercher les impôts ! (*La porte est défoncée, le Père Ubu pénètre suivi d'une légion de Grippe-Sous.*)

SCÈNE IV

PÈRE UBU

Qui de vous est le plus vieux ? *(Un Paysan s'avance.)* Comment te nommes-tu ?

LE PAYSAN

Stanislas Leczinski[2].

PÈRE UBU

Eh bien, cornegidouille, écoute-moi bien, sinon ces messieurs te couperont les oneilles. Mais, vas-tu m'écouter enfin ?

STANISLAS

Mais Votre Excellence n'a encore rien dit.

PÈRE UBU

Comment, je parle depuis une heure. Crois-tu que je vienne ici pour prêcher dans le désert ?

STANISLAS

Loin de moi cette pensée.

PÈRE UBU

Je viens donc te dire, t'ordonner et te signi-
fier que tu aies à produire et exhiber promp-
tement ta finance, sinon tu seras massacré.
Allons, messeigneurs les salopins de finance,
voiturez ici le voiturin à phynances. *(On apporte
le voiturin.)*

STANISLAS

Sire, nous ne sommes inscrits sur le registre
que pour cent cinquante-deux rixdales que nous
avons déjà payées, il y aura tantôt six semaines
à la Saint-Mathieu.

PÈRE UBU

C'est fort possible, mais j'ai changé le gouver-
nement et j'ai fait mettre dans le journal qu'on
paierait deux fois tous les impôts et trois fois
ceux qui pourront être désignés ultérieurement.
Avec ce système j'aurai vite fait fortune, alors je
tuerai tout le monde et je m'en irai.

PAYSANS

Monsieur Ubu, de grâce, ayez pitié de nous.
Nous sommes de pauvres citoyens.

PÈRE UBU

Je m'en fiche. Payez.

PAYSANS

Nous ne pouvons, nous avons payé.

PÈRE UBU

Payez ! ou ji vous mets dans ma poche avec supplice et décollation du cou et de la tête ! Cornegidouille, je suis le roi peut-être !

TOUS

Ah, c'est ainsi ! Aux armes ! Vive Bougre-las, par la grâce de Dieu roi de Pologne et de Lithuanie !

PÈRE UBU

En avant, messieurs des Finances, faites votre devoir.

> *Une lutte s'engage, la maison est détruite et le vieux Stanislas s'enfuit seul à travers la plaine. Le Père Ubu[1] reste à ramasser la finance.*

SCÈNE V

Une casemate des fortifications de Thorn.

CAPITAINE BORDURE *enchaîné*, PÈRE UBU

PÈRE UBU

Ah ! citoyen, voilà ce que c'est, tu as voulu que je te paye ce que je te devais, alors tu t'es révolté parce que je n'ai pas voulu, tu as conspiré et te voilà coffré. Cornefinance, c'est bien fait, et le tour est si bien joué que tu dois toi-même le trouver fort à ton goût.

CAPITAINE BORDURE

Prenez garde, Père Ubu. Depuis cinq jours que vous êtes roi, vous avez commis plus de meurtres qu'il n'en faudrait pour damner tous les saints du Paradis. Le sang du roi et des nobles crie vengeance et ses cris seront entendus.

PÈRE UBU

Eh ! mon bel ami, vous avez la langue fort bien pendue. Je ne doute pas que si vous vous échappiez il en pourrait résulter des complications, mais je ne crois pas que les casemates de Thorn aient jamais lâché quelqu'un des honnêtes garçons qu'on leur avait confiés. C'est pourquoi, bonne nuit, et je vous invite à dormir sur les deux oneilles, bien que les rats dansent ici une assez belle sarabande.

Il sort. Les Larbins viennent verrouiller toutes les portes.

SCÈNE VI

Le palais de Moscou.

L'EMPEREUR ALEXIS *et sa Cour,* BORDURE

LE CZAR ALEXIS

C'est vous, infâme aventurier, qui avez coopéré à la mort de notre cousin Venceslas ?

BORDURE

Sire, pardonnez-moi, j'ai été entraîné malgré moi par le Père Ubu.

ALEXIS

Oh ! l'affreux menteur. Enfin, que désirez-vous ?

BORDURE

Le Père Ubu m'a fait emprisonner sous prétexte de conspiration, je suis parvenu à m'échapper et j'ai couru cinq jours et cinq nuits à cheval à travers les steppes pour venir implorer Votre gracieuse miséricorde.

ALEXIS

Que m'apportes-tu comme gage de ta soumission ?

BORDURE

Mon épée d'aventurier et un plan détaillé de
la ville de Thorn.

ALEXIS

Je prends l'épée, mais, par Saint Georges, brû-
lez ce plan, je ne veux pas devoir ma victoire à
une trahison.

BORDURE

Un des fils de Venceslas, le jeune Bougrelas,
est encore vivant, je ferai tout pour le rétablir.

ALEXIS

Quel grade avais-tu dans l'armée polonaise ?

BORDURE

Je commandais le 5e régiment des dragons de
Wilna et une compagnie franche au service du
Père Ubu.

ALEXIS

C'est bien, je te nomme sous-lieutenant au
10e régiment de Cosaques, et gare à toi si tu tra-
his. Si tu te bats bien, tu seras récompensé.

BORDURE

Ce n'est pas le courage qui me manque, Sire.

ALEXIS

C'est bien, disparais de ma présence.

Bordure sort.

SCÈNE VII

La salle du Conseil d'Ubu.

PÈRE UBU, MÈRE UBU
CONSEILLERS DE FINANCES [1]

PÈRE UBU

Messieurs, la séance est ouverte et tâchez de bien écouter et de vous tenir tranquilles. D'abord, nous allons faire le chapitre des finances, ensuite nous parlerons d'un petit système que j'ai imaginé pour faire venir le beau temps et conjurer la pluie.

UN CONSEILLER

Fort bien, monsieur Ubu.

MÈRE UBU

Quel sot homme.

PÈRE UBU

Madame de ma merdre, garde à vous, car je ne souffrirai pas vos sottises. Je vous disais donc, messieurs, que les finances vont passablement. Un nombre considérable de chiens à bas de laine[2] se répand chaque matin dans les rues et les salopins font merveille. De tous côtés on ne voit que des maisons brûlées et des gens pliant sous le poids de nos phynances.

LE CONSEILLER

Et les nouveaux impôts, monsieur Ubu, vont-ils bien ?

MÈRE UBU

Point du tout. L'impôt sur les mariages n'a encore produit que 11 sous, et encore le Père Ubu poursuit les gens partout pour les forcer à se marier.

PÈRE UBU

Sabre à finances, corne de ma gidouille, madame la financière, j'ai des oneilles pour parler et vous une bouche pour m'entendre. *(Éclats de rire.)* Ou plutôt non ! Vous me faites tromper et vous êtes cause que je suis bête ! Mais, corne d'Ubu ! *(Un Messager entre.)* Allons, bon, qu'a-t-il encore celui-là ? Va-t'en, sagouin, ou je te poche[1] avec décollation et torsion des jambes.

MÈRE UBU

Ah ! le voilà dehors, mais il y a une lettre.

PÈRE UBU

Lis-la. Je crois que je perds l'esprit ou que je ne sais pas lire. Dépêche-toi, bouffresque, ce doit être de Bordure.

MÈRE UBU

Tout justement. Il dit que le czar l'a accueilli très bien, qu'il va envahir tes États pour rétablir Bougrelas et que toi tu seras tué.

PÈRE UBU

Ho ! ho ! J'ai peur ! J'ai peur ! Ha ! je pense mourir. Ô pauvre homme que je suis. Que devenir, grand Dieu ? Ce méchant homme va me tuer. Saint Antoine et tous les saints, protégez-moi, je vous donnerai de la phynance et je brûlerai des cierges pour vous. Seigneur, que devenir ? *(Il pleure et sanglote.)*

MÈRE UBU

Il n'y a qu'un parti à prendre, Père Ubu.

PÈRE UBU

Lequel, mon amour ?

MÈRE UBU

La guerre !!

TOUS

Vive Dieu ! Voilà qui est noble !

PÈRE UBU

Oui, et je recevrai encore des coups.

PREMIER CONSEILLER

Courons, courons organiser l'armée.

DEUXIÈME

Et réunir les vivres.

TROISIÈME

Et préparer l'artillerie et les forteresses.

QUATRIÈME

Et prendre l'argent pour les troupes.

PÈRE UBU

Ah ! non, par exemple ! Je vais te tuer, toi, je ne veux pas donner d'argent. En voilà d'une autre ! J'étais payé pour faire la guerre et maintenant il faut la faire à mes dépens. Non, de par ma chandelle verte, faisons la guerre, puisque vous en êtes enragés, mais ne déboursons pas un sou.

TOUS

Vive la guerre !

SCÈNE VIII

Le camp sous Varsovie.

SOLDATS ET PALOTINS

Vive la Pologne ! Vive le Père Ubu !

PÈRE UBU

Ah ! Mère Ubu, donne-moi ma cuirasse et mon petit bout de bois[1]. Je vais être bientôt tellement chargé que je ne saurais marcher si j'étais poursuivi.

MÈRE UBU

Fi, le lâche.

PÈRE UBU

Ah ! voilà le sabre à merdre qui se sauve et le croc à finances qui ne tient pas ! ! ! Je n'en finirai jamais, et les Russes avancent et vont me tuer.

UN SOLDAT

Seigneur Ubu, voilà le ciseau à oneilles qui tombe.

PÈRE UBU

Ji tou tue au moyen du croc à merdre et du couteau à figure.

MÈRE UBU

Comme il est beau avec son casque et sa cuirasse, on dirait une citrouille armée.

PÈRE UBU

Ah ! maintenant je vais monter à cheval. Amenez, messieurs, le cheval à phynances[1].

MÈRE UBU

Père Ubu, ton cheval ne saurait plus te porter, il n'a rien mangé depuis cinq jours et est presque mort.

PÈRE UBU

Elle est bonne celle-là ! On me fait payer 12 sous par jour pour cette rosse et elle ne me peut porter. Vous vous fichez, corne d'Ubu, ou bien si vous me volez ? *(La Mère Ubu rougit et baisse les yeux.)* Alors, que l'on m'apporte une autre bête, mais je n'irai pas à pied, cornegidouille !

On amène un énorme cheval.

PÈRE UBU

Je vais monter dessus. Oh ! assis plutôt ! car je vais tomber. *(Le cheval part.)* Ah ! arrêtez ma bête. Grand Dieu, je vais tomber et être mort !!!

MÈRE UBU

Il est vraiment imbécile. Ah ! le voilà relevé. Mais il est tombé par terre.

PÈRE UBU

Corne physique, je suis à moitié mort ! Mais c'est égal, je pars en guerre et je tuerai tout le monde. Gare à qui ne marchera pas droit. Ji lon mets dans ma poche avec torsion du nez et des dents et extraction de la langue.

MÈRE UBU

Bonne chance, monsieur Ubu.

PÈRE UBU

J'oubliais de te dire que je te confie la régence. Mais j'ai sur moi le livre des finances, tant pis pour toi si tu me voles. Je te laisse pour t'aider le Palotin Giron. Adieu, Mère Ubu.

MÈRE UBU

Adieu, Père Ubu. Tue bien le czar.

PÈRE UBU

Pour sûr. Torsion du nez et des dents, extraction de la langue et enfoncement du petit bout de bois dans les oneilles.

L'armée s'éloigne au bruit des fanfares.

MÈRE UBU, *seule.*

Maintenant que ce gros pantin est parti, tâchons de faire nos affaires, tuer Bougrelas et nous emparer du trésor.

FIN DU TROISIÈME ACTE

ACTE IV

SCÈNE PREMIÈRE

*La crypte des anciens rois de Pologne
dans la cathédrale de Varsovie.*

MÈRE UBU

Où donc est ce trésor ? Aucune dalle ne sonne
creux. J'ai pourtant bien compté treize pierres
après le tombeau de Ladislas le Grand en allant
le long du mur, et il n'y a rien. Il faut qu'on m'ait
trompée. Voilà cependant : ici la pierre sonne
creux. À l'œuvre, Mère Ubu. Courage, descellons
cette pierre. Elle tient bon. Prenons ce bout de
croc à finances qui fera encore son office. Voilà !
voilà l'or au milieu des ossements des rois. Dans
notre sac, alors, tout ! Eh ! quel est ce bruit ? Dans
ces vieilles voûtes y aurait-il encore des vivants ?
Non, ce n'est rien, hâtons-nous. Prenons tout.
Cet argent sera mieux à la face du jour qu'au
milieu des tombeaux des anciens princes. Remet-
tons la pierre. Eh quoi ! toujours ce bruit. Ma

présence en ces lieux me cause une étrange frayeur. Je prendrai le reste de cet or une autre fois, je reviendrai demain.

UNE VOIX, *sortant du tombeau*
de Jean Sigismond.

Jamais, Mère Ubu !

> *La Mère Ubu se sauve affolée, emportant l'or volé par la porte secrète.*

SCÈNE II

La place de Varsovie.

BOUGRELAS *et* SES PARTISANS,
PEUPLE *et* SOLDATS, *puis* GARDES,
MÈRE UBU, LE PALOTIN GIRON [1]

BOUGRELAS

En avant, mes amis ! Vive Venceslas et la Pologne ! le vieux gredin de Père Ubu est parti, il ne reste plus que la sorcière de Mère Ubu avec son Palotin. Je m'offre à marcher à votre tête et à rétablir la race de mes pères.

TOUS

Vive Bougrelas !

BOUGRELAS

Et nous supprimerons tous les impôts établis par l'affreux Père Ub.

TOUS

Hurrah ! en avant ! Courons au palais et massacrons cette engeance.

BOUGRELAS

Eh ! voilà la mère Ubu qui sort avec ses gardes sur le perron !

MÈRE UBU

Que voulez-vous, messieurs ? Ah ! c'est Bougrelas.

La foule lance des pierres.

PREMIER GARDE

Tous les carreaux sont cassés.

DEUXIÈME GARDE

Saint Georges, me voilà assommé.

TROISIÈME GARDE

Cornebleu, je meurs.

BOUGRELAS

Lancez des pierres, mes amis.

LE PALOTIN GIRON

Hon ! C'est ainsi ! *(Il dégaine et se précipite, faisant un carnage épouvantable.)*

BOUGRELAS

À nous deux ! Défends-toi, lâche pistolet.

Ils se battent.

GIRON

Je suis mort !

BOUGRELAS

Victoire, mes amis ! Sus à la Mère Ubu !

On entend des trompettes.

BOUGRELAS

Ah ! voilà les Nobles qui arrivent. Courons, attrapons la mauvaise harpie !

TOUS

En attendant que nous étranglions le vieux bandit !

La Mère Ubu se sauve poursuivie par tous les Polonais. Coups de fusil et grêle de pierres.

SCÈNE III

L'armée polonaise en marche dans l'Ukraine.

PÈRE UBU

Cornebleu, jambedieu[1], tête de vache ! nous allons périr, car nous mourons de soif et sommes fatigué. Sire Soldat, ayez l'obligeance de porter notre casque à finances, et vous, sire Lancier, chargez-vous du ciseau à merdre et du bâton à physique[1] pour soulager notre personne, car, je le répète, nous sommes fatigué.

Les soldats obéissent.

PILE

Hon ! Monsieuye ! il est étonnant que les Russes n'apparaissent point.

PÈRE UBU

Il est regrettable que l'état de nos finances ne nous permette pas d'avoir une voiture à notre taille ; car, par crainte de démolir notre monture, nous avons fait tout le chemin à pied, traînant notre cheval par la bride. Mais quand nous serons de retour en Pologne, nous imaginerons, au moyen de notre science en physique et aidé des lumières de nos conseillers, une voiture à vent pour transporter toute l'armée.

COTICE

Voilà Nicolas Rensky qui se précipite.

PÈRE UBU

Et qu'a-t-il, ce garçon !

RENSKY

Tout est perdu, Sire, les Polonais sont révoltés, Giron est tué et la mère Ubu est en fuite dans les montagnes.

PÈRE UBU

Oiseau de nuit, bête de malheur, hibou à guêtres ! Où as-tu pêché ces sornettes ? En voilà d'une autre ! Et qui a fait ça ? Bougrelas, je parie. D'où viens-tu ?

RENSKY

De Varsovie, noble seigneur.

PÈRE UBU

Garçon de ma merdre, si je t'en croyais je ferais rebrousser chemin à toute l'armée. Mais, seigneur garçon, il y a sur tes épaules plus de plumes que de cervelle et tu as rêvé des sottises. Va aux avant-postes, mon garçon, les Russes ne sont pas loin et nous aurons bientôt à estocader de nos armes, tant à merdre qu'à phynances et à physique.

LE GÉNÉRAL LASCY

Père Ubu, ne voyez-vous pas dans la plaine les Russes ?

PÈRE UBU

C'est vrai, les Russes ! Me voilà joli. Si encore il y avait moyen de s'en aller, mais pas du tout,

nous sommes sur une hauteur et nous serons
en butte à tous les coups.

L'ARMÉE

Les Russes ! L'ennemi !

PÈRE UBU

Allons, messieurs, prenons nos dispositions
pour la bataille. Nous allons rester sur la colline
et ne commettrons point la sottise de descendre
en bas. Je me tiendrai au milieu comme une cita-
delle vivante et vous autres graviterez autour de
moi. J'ai à vous recommander de mettre dans
les fusils autant de balles qu'ils en pourront tenir,
car 8 balles peuvent tuer 8 Russes et c'est autant
que je n'aurai pas sur le dos. Nous mettrons les
fantassins à pied au bas de la colline pour rece-
voir les Russes et les tuer un peu, les cavaliers
derrière pour se jeter dans la confusion, et l'artillerie autour du moulin à vent ici présent pour
tirer dans le tas. Quant à nous, nous nous tien-
drons dans le moulin à vent et tirerons avec le
pistolet à phynances par la fenêtre, en travers
de la porte nous placerons le bâton à physique,
et si quelqu'un essaye d'entrer, gare au croc à
merdre !!!

OFFICIERS

Vos ordres, Sire Ubu, seront exécutés.

PÈRE UBU

Eh ! cela va bien, nous serons vainqueurs.
Quelle heure est-il ?

LE GÉNÉRAL LASCY

Onze heures du matin.

PÈRE UBU

Alors, nous allons dîner, car les Russes n'atta-
queront pas avant midi. Dites aux soldats,
seigneur Général, de faire leurs besoins et
d'entonner la Chanson à Finances.

Lascy s'en va.

SOLDATS ET PALOTINS

Vive le Père Ubé, notre grand Financier ! Ting,
ting, ting ; ting, ting, ting ; ting, ting, tating !

PÈRE UBU

Ô les braves gens, je les adore[1]. *(Un boulet russe
arrive et casse l'aile du moulin.)* Ah ! j'ai peur,
Sire Dieu, je suis mort ! et cependant non, je
n'ai rien.

SCÈNE IV

LES MÊMES,
UN CAPITAINE *puis* L'ARMÉE RUSSE

UN CAPITAINE, *arrivant.*

Sire Ubu, les Russes attaquent.

PÈRE UBU

Eh bien, après, que veux-tu que j'y fasse ? ce n'est pas moi qui le leur ai dit. Cependant, Messieurs des Finances, préparons-nous au combat.

LE GÉNÉRAL LASCY

Un second boulet.

PÈRE UBU

Ah ! je n'y tiens plus. Ici il pleut du plomb et du fer et nous pourrions endommager notre précieuse personne. Descendons. *(Tous descendent au pas de course. La bataille vient de s'engager. Ils disparaissent dans des torrents de fumée au pied de la colline.)*

UN RUSSE, *frappant.*

Pour Dieu et le Czar !

RENSKY

Ah ! je suis mort.

PÈRE UBU

En avant ! Ah, toi, Monsieur, que je t'attrape, car tu m'as fait mal, entends-tu ! sac à vin ! avec ton flingot qui ne part pas.

LE RUSSE

Ah ! voyez-vous ça. *(Il lui tire un coup de revolver.)*

PÈRE UBU

Ah ! Oh ! Je suis blessé, je suis troué, je suis
perforé, je suis administré, je suis enterré. Oh,
mais tout de même ! Ah ! je le tiens. *(Il le déchire.)*
Tiens ! recommenceras-tu, maintenant !

LE GÉNÉRAL LASCY

En avant, poussons vigoureusement, passons
le fossé, la victoire est à nous.

PÈRE UBU

Tu crois ? Jusqu'ici je sens sur mon front plus
de bosses que de lauriers.

CAVALIERS RUSSES

Hurrah ! Place au Czar !

> *Le Czar arrive accompagné de Bordure
> déguisé.*

UN POLONAIS

Ah ! Seigneur ! Sauve qui peut, voilà le Czar !

UN AUTRE

Ah ! mon Dieu ! il passe le fossé.

UN AUTRE

Pif ! Paf ! en voilà quatre d'assommés par ce
grand bougre de lieutenant.

BORDURE

Ah ! vous n'avez pas fini, vous autres ! Tiens, Jean Sobiesky, voilà ton compte. *(Il l'assomme.)* À d'autres, maintenant ! *(Il fait un massacre de Polonais.)*

PÈRE UBU

En avant, mes amis ! Attrapez ce bélître ! En compote les Moscovites ! La victoire est à nous. Vive l'Aigle Rouge !

TOUS

En avant ! Hurrah ! Jambedieu ! Attrapez le grand bougre.

BORDURE

Par saint Georges, je suis tombé.

PÈRE UBU, *le reconnaissant.*

Ah ! c'est toi, Bordure ! Ah ! mon ami. Nous sommes bien heureux ainsi que toute la compagnie de te retrouver. Je vais te faire cuire à petit feu. Messieurs des Finances, allumez du feu. Oh ! Ah ! Oh ! Je suis mort. C'est au moins un coup de canon que j'ai reçu. Ah ! mon Dieu, pardonnez-moi mes péchés. Oui, c'est bien un coup de canon.

BORDURE

C'est un coup de pistolet chargé à poudre.

PÈRE UBU

Ah ! tu te moques de moi ! Encore ! À la pôche[1] ! (*Il se rue sur lui et le déchire.*)

LE GÉNÉRAL LASCY

Père Ubu, nous avançons partout.

PÈRE UBU

Je le vois bien, je n'en peux plus, je suis criblé de coups de pied, je voudrais m'asseoir par terre. Oh ! ma bouteille.

LE GÉNÉRAL LASCY

Allez prendre celle du Czar, Père Ubu.

PÈRE UBU

Eh ! j'y vais de ce pas. Allons ! sabre à merdre, fais ton office, et toi, croc à finances, ne reste pas en arrière. Que le bâton à physique travaille d'une généreuse émulation et partage avec le petit bout de bois l'honneur de massacrer, creuser et exploiter l'Empereur moscovite. En avant, Monsieur notre cheval à finances !

Il se rue sur le Czar.

UN OFFICIER RUSSE

En garde, Majesté !

PÈRE UBU

Tiens, toi ! Oh ! aïe ! Ah ! mais tout de même. Ah ! monsieur, pardon, laissez-moi tranquille. Oh ! mais, je n'ai pas fait exprès !

Il se sauve. Le Czar le poursuit.

PÈRE UBU

Sainte Vierge, cet enragé me poursuit ! Qu'ai-je fait, grand Dieu ! Ah ! bon, il y a encore le fossé à repasser. Ah ! je le sens derrière moi et le fossé devant ! Courage, fermons les yeux.

Il saute le fossé. Le Czar y tombe.

LE CZAR

Bon, je suis dedans.

POLONAIS

Hurrah ! le Czar est à bas !

PÈRE UBU

Ah ! j'ose à peine me retourner ! Il est dedans. Ah ! c'est bien fait et on tape dessus. Allons, Polonais, allez-y à tour de bras, il a bon dos le misérable ! Moi je n'ose pas le regarder ! Et cependant notre prédiction s'est complètement réalisée, le bâton à physique a fait merveilles et nul doute que je ne l'eusse complètement tué si une inexplicable terreur n'était venue combattre et annuler en nous les effets de notre courage.

Mais nous avons dû soudainement tourner casaque, et nous n'avons dû notre salut qu'à notre habileté comme cavalier ainsi qu'à la solidité des jarrets de notre cheval à finances, dont la rapidité n'a d'égale que la stabilité et dont la légèreté fait la célébrité, ainsi qu'à la profondeur du fossé qui s'est trouvé fort à propos sous les pas de l'ennemi de nous l'ici présent Maître des Phynances. Tout ceci est fort beau, mais personne ne m'écoute. Allons ! bon, ça recommence !

> *Les Dragons russes font une charge et délivrent le Czar.*

LE GÉNÉRAL LASCY

Cette fois, c'est la débandade.

PÈRE UBU

Ah ! voici l'occasion de se tirer des pieds. Or donc, Messieurs les Polonais, en avant ! ou plutôt, en arrière !

POLONAIS

Sauve qui peut !

PÈRE UBU

Allons ! en route. Quel tas de gens, quelle fuite, quelle multitude, comment me tirer de ce gâchis ? *(Il est bousculé.)* Ah ! mais toi ! fais attention, ou tu vas expérimenter la bouillante valeur du Maître des Finances. Ah ! il est parti, sauvons-nous et vivement pendant que Lascy ne nous voit pas. *(Il sort, ensuite on voit passer le Czar et l'Armée russe poursuivant les Polonais.)*

SCÈNE V

Une caverne en Lithuanie (il neige).

PÈRE UBU, PILE, COTICE

PÈRE UBU

Ah ! le chien de temps, il gèle à pierre à fendre et la personne du Maître des Finances s'en trouve fort endommagée.

PILE

Hon ! Monsieuye Ubu, êtes-vous remis de votre terreur et de votre fuite ?

PÈRE UBU

Oui ! je n'ai plus peur, mais j'ai encore la fuite.

COTICE, *à part.*

Quel pourceau.

PÈRE UBU

Eh ! sire Cotice, votre oneille, comment va-t-elle ?

COTICE

Aussi bien, Monsieuye, qu'elle peut aller tout en allant très mal. Par conséiquent de quoye, le plomb la penche vers la terre et je n'ai pu extraire la balle.

PÈRE UBU

Tiens, c'est bien fait ! Toi, aussi, tu voulais toujours taper les autres. Moi j'ai déployé la plus grande valeur, et sans m'exposer j'ai massacré quatre ennemis de ma propre main, sans compter tous ceux qui étaient déjà morts et que nous avons achevés.

COTICE

Savez-vous, Pile, ce qu'est devenu le petit Rensky ?

PILE

Il a reçu une balle dans la tête.

PÈRE UBU

Ainsi que le coquelicot et le pissenlit à la fleur de leur âge sont fauchés par l'impitoyable faux de l'impitoyable faucheur qui fauche impitoyablement leur pitoyable binette, — ainsi le petit Rensky a fait le coquelicot ; il s'est fort bien battu cependant, mais aussi il y avait trop de Russes.

PILE ET COTICE

Hon, Monsieuye !

UN ÉCHO

Hhrron !

PILE

Qu'est-ce ? Armons-nous de nos lumelles[1].

PÈRE UBU

Ah, non ! par exemple, encore des Russes, je parie ! J'en ai assez ! et puis c'est bien simple, s'ils m'attrapent ji lon fous à la poche.

SCÈNE VI

LES MÊMES, *entre* UN OURS[2]

COTICE

Hon, Monsieuye des Finances !

PÈRE UBU

Oh ! tiens, regardez donc le petit toutou. Il est gentil, ma foi.

PILE

Prenez garde ! Ah ! quel énorme ours : mes cartouches !

PÈRE UBU

Un ours ! Ah ! l'atroce bête. Oh ! pauvre homme, me voilà mangé. Que Dieu me protège. Et il vient sur moi. Non, c'est Cotice qu'il attrape. Ah ! je respire. *(L'Ours se jette sur Cotice. Pile l'attaque à coups de couteau. Ubu se réfugie sur un rocher.)*

COTICE

À moi, Pile ! à moi ! au secours, Monsieuye Ubu !

PÈRE UBU

Bernique ! Débrouille-toi, mon ami ; pour le moment, nous faisons notre Pater Noster. Chacun son tour d'être mangé.

PILE

Je l'ai, je le tiens.

COTICE

Ferme, ami, il commence à me lâcher.

PÈRE UBU

Sanctificetur nomen tuum.

COTICE

Lâche bougre !

PILE

Ah ! il me mord ! Ô Seigneur, sauvez-nous, je suis mort.

PÈRE UBU

Fiat volontas tua.

COTICE

Ah ! j'ai réussi à le blesser.

PILE

Hurrah ! il perd son sang. *(Au milieu des cris des Palotins, l'Ours beugle de douleur et Ubu continue à marmotter.)*

COTICE

Tiens-le ferme, que j'attrape mon coup-de-poing explosif.

PÈRE UBU

Panem nostrum quotidianum da nobis hodie.

PILE

L'as-tu enfin, je n'en peux plus.

PÈRE UBU

Sicut et nos dimittimus debitoribus nostris.

COTICE

Ah ! je l'ai. *(Une explosion retentit et l'Ours tombe mort.)*

PILE ET COTICE

Victoire !

PÈRE UBU

Sed libera nos a malo. Amen. Enfin, est-il bien mort ? Puis-je descendre de mon rocher ?

PILE, *avec mépris.*

Tant que vous voudrez.

PÈRE UBU, *descendant.*

Vous pouvez vous flatter que si vous êtes encore vivants et si vous foulez encore la neige de Lithuanie, vous le devez à la vertu magnanime du Maître des Finances, qui s'est évertué, échiné et égosillé à débiter des patenôtres[1] pour votre salut, et qui a manié avec autant de courage le glaive spirituel de la prière que vous avez manié avec adresse le temporel de l'ici présent Palotin Cotice coup-de-poing explosif[2]. Nous avons même poussé plus loin notre dévouement, car nous n'avons pas hésité à monter sur un rocher fort haut pour que nos prières aient moins loin à arriver au ciel.

PILE

Révoltante bourrique.

PÈRE UBU

Voici une grosse bête. Grâce à moi, vous avez de quoi souper. Quel ventre, messieurs ! Les

Grecs y auraient été plus à l'aise que dans le cheval de bois, et peu s'en est fallu, chers amis, que nous n'ayons pu aller vérifier de nos propres yeux sa capacité intérieure.

PILE

Je meurs de faim. Que manger ?

COTICE

L'ours !

PÈRE UBU

Eh ! pauvres gens, allez-vous le manger tout cru ? Nous n'avons rien pour faire du feu.

PILE

N'avons-nous pas nos pierres à fusil ?

PÈRE UBU

Tiens, c'est vrai. Et puis il me semble que voilà non loin d'ici un petit bois où il doit y avoir des branches sèches. Va en chercher, Sire Cotice. *(Cotice s'éloigne à travers la neige.)*

PILE

Et maintenant, Sire Ubu, allez dépecer l'ours.

PÈRE UBU

Oh non ! Il n'est peut-être pas mort. Tandis que toi, qui es déjà à moitié mangé et mordu de toutes parts, c'est tout à fait dans ton rôle. Je vais allumer du feu en attendant qu'il apporte du bois. *(Pile commence à dépecer l'ours.)*

PÈRE UBU

Oh, prends garde ! il a bougé.

PILE

Mais, Sire Ubu, il est déjà tout froid.

PÈRE UBU

C'est dommage, il aurait mieux valu le manger chaud. Ceci va procurer une indigestion au Maître des Finances.

PILE, *à part.*

C'est révoltant. *(Haut.)* Aidez-nous un peu, Monsieur Ubu, je ne puis faire toute la besogne.

PÈRE UBU

Non, je ne veux rien faire, moi ! Je suis fatigué, bien sûr !

COTICE, *rentrant.*

Quelle neige, mes amis, on se dirait en Castille ou au pôle Nord. La nuit commence à tomber. Dans une heure il fera noir. Hâtons-nous pour voir encore clair.

PÈRE UBU

Oui, entends-tu, Pile ? hâte-toi. Hâtez-vous tous les deux ! Embrochez la bête, cuisez la bête, j'ai faim, moi !

PILE

Ah, c'est trop fort, à la fin ! Il faudra travailler ou bien tu n'auras rien, entends-tu, goinfre !

PÈRE UBU

Oh ! ça m'est égal, j'aime autant le manger tout cru, c'est vous qui serez bien attrapés. Et puis j'ai sommeil, moi !

COTICE

Que voulez-vous, Pile ? Faisons le dîner tout seuls. Il n'en aura pas, voilà tout. Ou bien on pourra lui donner les os.

PILE

C'est bien. Ah, voilà le feu qui flambe.

PÈRE UBU

Oh ! c'est bon ça, il fait chaud maintenant. Mais je vois des Russes partout. Quelle fuite, grand Dieu ! Ah ! *(Il tombe endormi.)*

COTICE

Je voudrais savoir si ce que disait Rensky est vrai, si la Mère Ubu est vraiment détrônée. Ça n'aurait rien d'impossible.

PILE

Finissons de faire le souper.

COTICE

Non, nous avons à parler de choses plus importantes. Je pense qu'il serait bon de nous enquérir de la véracité de ces nouvelles.

PILE

C'est vrai, faut-il abandonner le Père Ubu ou rester avec lui ?

COTICE

La nuit porte conseil. Dormons, nous verrons demain ce qu'il faut faire.

PILE

Non, il vaut mieux profiter de la nuit pour nous en aller.

COTICE

Partons, alors.

Ils partent.

SCÈNE VII

PÈRE UBU *parle en dormant.*

Ah ! Sire Dragon russe, faites attention, ne tirez pas par ici, il y a du monde. Ah ! voilà

Bordure, qu'il est mauvais, on dirait un ours[1].
Et Bougrelas qui vient sur moi ! L'ours, l'ours !
Ah ! le voilà à bas ! qu'il est dur, grand Dieu !
Je ne veux rien faire, moi ! Va-t'en, Bougrelas !
Entends-tu, drôle ? Voilà Rensky maintenant, et
le Czar ! Oh ! ils vont me battre. Et la Rbue[2].
Où as-tu pris tout cet or ? Tu m'as pris mon or,
misérable, tu as été farfouiller dans mon tombeau qui est dans la cathédrale de Varsovie, près
de la Lune. Je suis mort depuis longtemps, moi,
c'est Bougrelas qui m'a tué et je suis enterré à
Varsovie près de Vladislas le Grand, et aussi à
Cracovie près de Jean Sigismond, et aussi à Thorn
dans la casemate avec Bordure ! Le voilà encore. Mais va-t'en, maudit ours. Tu ressembles
à Bordure. Entends-tu, bête de Satan ? Non, il
n'entend pas, les Salopins lui ont coupé les
oneilles. Décervelez, tudez, coupez les oneilles,
arrachez la finance et buvez jusqu'à la mort,
c'est la vie des Salopins, c'est le bonheur du
Maître des Finances. *(Il se tait et dort.)*

FIN DU QUATRIÈME ACTE

ACTE V

SCÈNE PREMIÈRE

Il fait nuit. LE PÈRE UBU *dort. Entre* LA MÈRE UBU
sans le voir. L'obscurité est complète.

MÈRE UBU

Enfin, me voilà à l'abri. Je suis seule ici, ce n'est
pas dommage, mais quelle course effrénée : tra-
verser toute la Pologne en quatre jours ! Tous
les malheurs m'ont assaillie à la fois. Aussitôt
partie cette grosse bourrique, je vais à la crypte
m'enrichir. Bientôt après je manque d'être lapi-
dée par ce Bougrelas et ces enragés. Je perds
mon cavalier le Palotin Giron qui était si amoureux de mes attraits qu'il se pâmait d'aise en me
voyant, et même, m'a-t-on assuré, en ne me
voyant pas, ce qui est le comble de la tendresse.
Il se serait fait couper en deux pour moi, le
pauvre garçon. La preuve, c'est qu'il a été coupé
en quatre par Bougrelas[1]. Pif paf pan ! Ah ! je
pense mourir. Ensuite donc je prends la fuite,

poursuivie par la foule en fureur. Je quitte le
palais, j'arrive à la Vistule, tous les ponts étaient
gardés. Je passe le fleuve à la nage, espérant ainsi
lasser mes persécuteurs. De tous côtés la noblesse
se rassemble et me poursuit. Je manque mille
fois périr, étouffée dans un cercle de Polonais
acharnés à me perdre. Enfin je trompai leur
fureur, et après quatre jours de courses dans la
neige de ce qui fut mon royaume j'arrive me
réfugier ici. Je n'ai ni bu ni mangé ces quatre
jours, Bougrelas me serrait de près… Enfin me
voilà sauvée. Ah ! je suis morte de fatigue et de
froid. Mais je voudrais bien savoir ce qu'est
devenu mon gros polichinelle, je veux dire mon
très respectable époux. Lui en ai-je pris, de la
finance. Lui en ai-je volé, des rixdales[1]. Lui en
ai-je tiré, des carottes. Et son cheval à finances
qui mourait de faim : il ne voyait pas souvent
d'avoine, le pauvre diable. Ah ! la bonne histoire.
Mais hélas ! j'ai perdu mon trésor ! Il est à
Varsovie, ira le chercher qui voudra.

PÈRE UBU, *commençant à se réveiller.*

Attrapez la Mère Ubu, coupez les oneilles !

MÈRE UBU

Ah ! Dieu ! Où suis-je ? Je perds la tête. Ah !
non, Seigneur !

Grâce au ciel j'entrevoi Monsieur le Père Ubu qui dort auprès de moi[1].

Faisons la gentille. Eh bien, mon gros bonhomme, as-tu bien dormi ?

PÈRE UBU

Fort mal ! Il était bien dur cet ours ! Combat des voraces contre les coriaces, mais les voraces ont complètement mangé et dévoré les coriaces, comme vous le verrez quand il fera jour : entendez-vous, nobles Palotins !

MÈRE UBU

Qu'est-ce qu'il bafouille ? Il est encore plus bête que quand il est parti. À qui en a-t-il ?

PÈRE UBU

Cotice, Pile, répondez-moi, sac à merdre ! Où êtes-vous ? Ah ! j'ai peur. Mais enfin on a parlé. Qui a parlé ? Ce n'est pas l'ours, je suppose. Merdre ! Où sont mes allumettes ? Ah ! je les ai perdues à la bataille.

MÈRE UBU, *à part.*

Profitons de la situation et de la nuit, simulons une apparition surnaturelle et faisons-lui promettre de nous pardonner nos larcins.

PÈRE UBU

Mais, par saint Antoine ! on parle. Jambedieu !
Je veux être pendu !

MÈRE UBU, *grossissant sa voix.*

Oui, monsieur Ubu, on parle, en effet, et la
trompette de l'archange qui doit tirer les morts
de la cendre et de la poussière finale ne parlerait
pas autrement ! Écoutez cette voix sévère. C'est
celle de saint Gabriel qui ne peut donner que
de bons conseils.

PÈRE UBU

Oh ! ça, en effet !

MÈRE UBU

Ne m'interrompez pas ou je me tais et c'en
sera fait de votre giborgne !

PÈRE UBU

Ah ! ma gidouille ! Je me tais, je ne dis plus
mot. Continuez, madame l'Apparition !

MÈRE UBU

Nous disions, monsieur Ubu, que vous étiez
un gros bonhomme !

PÈRE UBU

Très gros, en effet, ceci est juste.

MÈRE UBU

Taisez-vous, de par Dieu !

PÈRE UBU

Oh ! les anges ne jurent pas !

MÈRE UBU, *à part.*

Merdre ! *(Continuant.)* Vous êtes marié, monsieur Ubu.

PÈRE UBU

Parfaitement, à la dernière des chipies !

MÈRE UBU

Vous voulez dire que c'est une femme char-
mante.

PÈRE UBU

Une horreur. Elle a des griffes partout, on ne
sait par où la prendre.

MÈRE UBU

Il faut la prendre par la douceur, sire Ubu, et
si vous la prenez ainsi vous verrez qu'elle est au
moins l'égale de la Vénus de Capoue.

PÈRE UBU

Qui dites-vous qui a des poux ?

MÈRE UBU

Vous n'écoutez pas, monsieur Ubu ; prêtez-nous une oreille plus attentive. *(À part.)* Mais hâtons-nous, le jour va se lever. — Monsieur Ubu, votre femme est adorable et délicieuse, elle n'a pas un seul défaut.

PÈRE UBU

Vous vous trompez, il n'y a pas un défaut qu'elle ne possède.

MÈRE UBU

Silence donc ! Votre femme ne vous fait pas d'infidélités !

PÈRE UBU

Je voudrais bien voir qui pourrait être amoureux d'elle. C'est une harpie !

MÈRE UBU

Elle ne boit pas !

PÈRE UBU

Depuis que j'ai pris la clé de la cave. Avant, à sept heures du matin elle était ronde et elle se parfumait à l'eau-de-vie. Maintenant qu'elle se parfume à l'héliotrope elle ne sent pas plus mauvais. Ça m'est égal. Mais maintenant il n'y a plus que moi à être rond !

MÈRE UBU

Sot personnage ! — Votre femme ne vous prend pas votre or.

PÈRE UBU

Non, c'est drôle !

MÈRE UBU

Elle ne détourne pas un sou !

PÈRE UBU

Témoin monsieur notre noble et infortuné cheval à Phynances, qui, n'étant pas nourri depuis trois mois, a dû faire la campagne entière traîné par la bride à travers l'Ukraine. Aussi est-il mort à la tâche, la pauvre bête !

MÈRE UBU

Tout ceci sont des mensonges, votre femme est un modèle et vous quel monstre vous faites !

PÈRE UBU

Tout ceci sont des vérités, ma femme est une coquine et vous quelle andouille vous faites !

MÈRE UBU

Prenez garde, Père Ubu.

PÈRE UBU

Ah ! c'est vrai, j'oubliais à qui je parlais. Non, je n'ai pas dit ça !

MÈRE UBU

Vous avez tué Venceslas.

PÈRE UBU

Ce n'est pas ma faute, moi, bien sûr. C'est la Mère Ubu qui a voulu.

MÈRE UBU

Vous avez fait mourir Boleslas et Ladislas.

PÈRE UBU

Tant pis pour eux ! Ils voulaient me taper !

MÈRE UBU

Vous n'avez pas tenu votre promesse envers Bordure et plus tard vous l'avez tué.

PÈRE UBU

J'aime mieux que ce soit moi que lui qui règne en Lithuanie. Pour le moment ça n'est ni l'un ni l'autre. Ainsi vous voyez que ça n'est pas moi.

MÈRE UBU

Vous n'avez qu'une manière de vous faire pardonner tous vos méfaits.

PÈRE UBU

Laquelle ? Je suis tout disposé à devenir un saint homme, je veux être évêque et voir mon nom sur le calendrier.

MÈRE UBU

Il faut pardonner à la Mère Ubu d'avoir détourné un peu d'argent.

PÈRE UBU

Eh bien, voilà ! Je lui pardonnerai quand elle m'aura rendu tout, qu'elle aura été bien rossée, et qu'elle aura ressuscité mon cheval à finances.

MÈRE UBU

Il en est toqué de son cheval ! Ah ! je suis perdue, le jour se lève.

PÈRE UBU

Mais enfin je suis content de savoir maintenant assurément que ma chère épouse me volait. Je le sais maintenant de source sûre. Omnis a Deo scientia, ce qui veut dire : Omnis, toute ; a Deo, science ; scientia, vient de Dieu[1]. Voilà l'explication du phénomène. Mais madame l'Apparition ne dit plus rien. Que ne puis-je lui offrir de quoi se réconforter. Ce qu'elle disait était très amusant. Tiens, mais il fait jour ! Ah ! Seigneur, de par mon cheval à finances, c'est la Mère Ubu !

MÈRE UBU, *effrontément.*

Ça n'est pas vrai, je vais vous ex'communier.

PÈRE UBU

Ah ! charogne !

MÈRE UBU

Quelle impiété.

PÈRE UBU

Ah ! c'est trop fort. Je vois bien que c'est toi sotte chipie ! Pourquoi diable es-tu ici ?

MÈRE UBU

Giron est mort et les Polonais m'ont chassée.

PÈRE UBU

Et moi, ce sont les Russes qui m'ont chassé : les beaux esprits se rencontrent.

MÈRE UBU

Dis donc qu'un bel esprit a rencontré une bourrique !

PÈRE UBU

Ah ! eh bien, il va rencontrer un palmipède maintenant. (*Il lui jette l'ours.*)

MÈRE UBU, *tombant accablée*
sous le poids de l'ours.

Ah ! grand Dieu ! Quelle horreur ! Ah ! je meurs ! J'étouffe ! il me mord ! Il m'avale ! il me digère !

PÈRE UBU

Il est mort ! grotesque. Oh ! mais, au fait, peut-être que non ! Ah ! Seigneur ! non, il n'est

pas mort, sauvons-nous. *(Remontant sur son rocher.)*
Pater noster qui es…

MÈRE UBU, *se débarrassant.*

Tiens ! où est-il ?

PÈRE UBU

Ah ! Seigneur ! la voilà encore ! Sotte créature,
il n'y a donc pas moyen de se débarrasser d'elle.
Est-il mort, cet ours ?

MÈRE UBU

Eh oui, sotte bourrique, il est déjà tout froid.
Comment est-il venu ici ?

PÈRE UBU, *confus.*

Je ne sais pas. Ah ! si, je sais ! Il a voulu manger
Pile et Cotice et moi je l'ai tué d'un coup de
Pater Noster.

MÈRE UBU

Pile, Cotice, Pater Noster. Qu'est-ce que c'est
que ça ? il est fou, ma finance !

PÈRE UBU

C'est très exact ce que je dis ! Et toi tu es idiote,
ma giborgne !

MÈRE UBU

Raconte-moi ta campagne, Père Ubu.

PÈRE UBU

Oh ! dame, non ! C'est trop long. Tout ce que je sais, c'est que malgré mon incontestable vaillance tout le monde m'a battu.

MÈRE UBU

Comment, même les Polonais ?

PÈRE UBU

Ils criaient : Vivent[1] Venceslas et Bougrelas. J'ai cru qu'on voulait m'écarteler. Oh ! les enragés ! Et puis ils ont tué Rensky !

MÈRE UBU

Ça m'est bien égal ! Tu sais que Bougrelas a tué le Palotin Giron !

PÈRE UBU

Ça m'est bien égal ! Et puis ils ont tué le pauvre Lascy !

MÈRE UBU

Ça m'est bien égal !

PÈRE UBU

Oh ! mais tout de même, arrive ici, charogne ! Mets-toi à genoux devant ton maître *(il l'empoi-*

gne et la jette à genoux), tu vas subir le dernier supplice.

MÈRE UBU

Ho, ho, monsieur Ubu !

PÈRE UBU

Oh ! oh ! oh ! après, as-tu fini ? Moi je commence : torsion du nez, arrachement des cheveux, pénétration du petit bout de bois dans les oneilles, extraction de la cervelle par les talons, lacération du postérieur, suppression partielle ou même totale de la moelle épinière (si au moins ça pouvait lui ôter les épines du caractère), sans oublier l'ouverture de la vessie natatoire et finalement la grande décollation renouvelée de saint Jean-Baptiste, le tout tiré des très saintes Écritures, tant de l'Ancien que du Nouveau Testament, mis en ordre, corrigé et perfectionné par l'ici présent Maître des Finances[1] ! Ça te va-t-il, andouille ?

Il la déchire.

MÈRE UBU

Grâce, monsieur Ubu !

Grand bruit à l'entrée de la caverne.

SCÈNE II

LES MÊMES, BOUGRELAS *se ruant*
dans la caverne avec ses SOLDATS

BOUGRELAS

En avant, mes amis ! Vive la Pologne !

PÈRE UBU

Oh ! oh ! attends un peu, monsieur le Polognard. Attends que j'en aie fini avec madame
ma moitié !

BOUGRELAS, *le frappant.*

Tiens, lâche, gueux, sacripant, mécréant,
musulman !

PÈRE UBU, *ripostant.*

Tiens ! Polognard, soûlard, bâtard, hussard,
tartare, calard, cafard, mouchard, savoyard,
communard !

MÈRE UBU, *le battant aussi.*

Tiens, capon, cochon, félon, histrion, fripon,
souillon, polochon !

Les Soldats se ruent sur les Ubs, qui se
défendent de leur mieux.

PÈRE UBU

Dieux ! quels renfoncements !

MÈRE UBU

On a des pieds, messieurs les Polonais.

PÈRE UBU

De par ma chandelle verte, ça va-t-il finir, à la fin de la fin ? Encore un ! Ah ! si j'avais ici mon cheval à phynances !

BOUGRELAS

Tapez, tapez toujours.

VOIX AU DEHORS

Vive le Père Ubé, notre grand financier !

PÈRE UBU

Ah ! les voilà. Hurrah ! Voilà les Pères Ubus. En avant, arrivez, on a besoin de vous, messieurs des Finances !

> *Entrent les Palotins, qui se jettent dans la mêlée.*

COTICE

À la porte les Polonais !

PILE

Hon ! nous nous revoyons, Monsieuye des Finances. En avant, poussez vigoureusement, gagnez la porte, une fois dehors il n'y aura plus qu'à se sauver.

PÈRE UBU

Oh ! ça, c'est mon plus fort. Ô comme il tape.

BOUGRELAS

Dieu ! je suis blessé.

STANISLAS LECZINSKI

Ce n'est rien, Sire.

BOUGRELAS

Non, je suis seulement étourdi.

JEAN SOBIESKI

Tapez, tapez toujours, ils gagnent la porte, les gueux.

COTICE

On approche, suivez le monde. Par conséquent de quoye, je vois le ciel.

PILE

Courage, sire Ubu.

PÈRE UBU

Ah ! j'en fais dans ma culotte. En avant, cornegidouille ! Tudez, saignez, écorchez, massacrez, corne d'Ubu ! Ah ! ça diminue !

COTICE

Il n'y en a plus que deux à garder la porte.

PÈRE UBU, *les assommant à coups d'ours.*

Et d'un, et de deux ! Ouf ! me voilà dehors !
Sauvons-nous ! suivez, les autres, et vivement !

SCÈNE III

*La scène représente la province
de Livonie couverte de neige.*

LES UBS ET LEUR SUITE *en fuite*

PÈRE UBU

Ah ! je crois qu'ils ont renoncé à nous attraper.

MÈRE UBU

Oui, Bougrelas est allé se faire couronner.

PÈRE UBU

Je ne la lui envie pas, sa couronne.

MÈRE UBU

Tu as bien raison, Père Ubu.

Ils disparaissent dans le lointain.

SCÈNE IV

*Le pont d'un navire courant
au plus près sur la Baltique.
Sur le pont le* PÈRE UBU *et toute sa bande.*

LE COMMANDANT

Ah ! quelle belle brise.

PÈRE UBU

Il est de fait que nous filons avec une rapidité qui tient du prodige. Nous devons faire au moins un million de nœuds à l'heure, et ces nœuds ont ceci de bon qu'une fois faits ils ne se défont pas. Il est vrai que nous avons vent arrière.

PILE

Quel triste imbécile.

> *Une risée arrive, le navire couche et blanchit la mer.*

PÈRE UBU

Oh ! Ah ! Dieu ! nous voilà chavirés. Mais il va tout de travers, il va tomber ton bateau.

LE COMMANDANT

Tout le monde sous le vent, bordez la misaine !

PÈRE UBU

Ah ! mais non, par exemple ! Ne vous mettez pas tous du même côté ! C'est imprudent ça. Et supposez que le vent vienne à changer de côté : tout le monde irait au fond de l'eau et les poissons nous mangeront.

LE COMMANDANT

N'arrivez pas, serrez près et plein !

PÈRE UBU

Si ! Si ! Arrivez. Je suis pressé, moi ! Arrivez, entendez-vous ! C'est ta faute, brute de capitaine, si nous n'arrivons pas. Nous devrions être arrivés. Oh ! oh, mais je vais commander, moi, alors ! Pare à virer ! À Dieu vat. Mouillez, virez vent devant, virez vent arrière. Hissez les voiles, serrez les voiles, la barre dessus, la barre dessous, la barre à côté. Vous voyez, ça va très bien. Venez en travers à la lame et alors ce sera parfait.

Tous se tordent, la brise fraîchit.

LE COMMANDANT

Amenez le grand foc, prenez un ris aux huniers !

PÈRE UBU

Ceci n'est pas mal, c'est même bon ! Entendez-vous, monsieur l'Équipage ? amenez le grand coq et allez faire un tour dans les pruniers.

Plusieurs agonisent de rire. Une lame embarque.

PÈRE UBU

Oh ! quel déluge ! Ceci est un effet des manœuvres que nous avons ordonnées.

MÈRE UBU *et* PILE

Délicieuse chose que la navigation.

Deuxième lame embarque.

PILE, *inondé.*

Méfiez-vous de Satan et de ses pompes.

PÈRE UBU

Sire garçon, apportez-nous à boire.

Tous s'installent à boire.

MÈRE UBU

Ah ! quel délice de revoir bientôt la douce France, nos vieux amis et notre château de Mondragon[1] !

PÈRE UBU

Eh ! nous y serons bientôt. Nous arrivons à l'instant sous le château d'Elseneur.

PILE

Je me sens ragaillardi à l'idée de revoir ma chère Espagne[2].

COTICE

Oui, et nous éblouirons nos compatriotes des récits de nos aventures merveilleuses.

PÈRE UBU

Oh ! ça, évidemment ! Et moi je me ferai nommer Maître des Finances à Paris.

MÈRE UBU

C'est cela ! Ah ! quelle secousse !

COTICE

Ce n'est rien, nous venons de doubler la pointe d'Elseneur.

PILE

Et maintenant notre noble navire s'élance à toute vitesse sur les sombres lames de la mer du Nord.

PÈRE UBU

Mer farouche et inhospitalière qui baigne le pays appelé Germanie, ainsi nommé parce que les habitants de ce pays sont tous cousins germains.

MÈRE UBU

Voilà ce que j'appelle de l'érudition. On dit ce pays fort beau.

PÈRE UBU

Ah ! messieurs ! si beau qu'il soit il ne vaut pas la Pologne. S'il n'y avait pas de Pologne il n'y aurait pas de Polonais[1] !

Et maintenant, comme vous avez bien écouté et vous êtes tenus tranquilles, on va vous chanter

LA CHANSON DU DÉCERVELAGE[2]

Je fus pendant longtemps ouvrier ébéniste,
Dans la ru'du Champ d'Mars, d'la paroiss'de Tous-
    saints.
Mon épouse exerçait la profession d'modiste,
    Et nous n'avions jamais manqué de rien. —
    Quand le dimanch's'annonçait sans nuage,
    Nous exhibions nos beaux accoutrements
    Et nous allions voir le décervelage
    Ru'd'l'Échaudé, passer un bon moment.

        Voyez, voyez la machin'tourner,
        Voyez, voyez la cervell'sauter,
        Voyez, voyez les Rentiers trembler ;
(CHŒUR) :   *Hourra, cornes-au-cul, vive le Père Ubu !*

Nos deux marmots chéris, barbouillés d'confitures,
Brandissant avec joi'des poupins en papier,
Avec nous s'installaient sur le haut d'la voiture
    Et nous roulions gaîment vers l'Échaudé. —
    On s'précipite en foule à la barrière.
    On s'fich'des coups pour être au premier rang ;
    Moi je m'mettais toujours sur un tas d'pierres
    Pour pas salir mes godillots dans l'sang.

> *Voyez, voyez la machin'tourner,*
> *Voyez, voyez la cervell'sauter,*
> *Voyez, voyez les Rentiers trembler ;*

(CHŒUR) :   *Hourra, cornes-au-cul, vive le Père Ubu !*

Bientôt ma femme et moi nous somm's tout blancs
    d'cervelle,
Les marmots en boulott'nt et tous nous trépignons
En voyant l'Palotin qui brandit sa lumelle,
    Et les blessur's et les numéros d'plomb. —
    Soudain j'perçois dans l'coin, près d'la machine,
    La gueul'd'un bonz'qui n'm'revient qu'à moitié.
    Mon vieux, que j'dis, je r'connais ta bobine,
    Tu m'as volé, c'est pas moi qui t'plaindrai.

> *Voyez, voyez la machin'tourner,*
> *Voyez, voyez la cervell'sauter,*
> *Voyez, voyez les Rentiers trembler ;*

(CHŒUR) :   *Hourra, cornes-au-cul, vive le Père Ubu !*

Soudain j'me sens tirer la manch'par mon épouse :
Espèc'd'andouill', qu'ell'm'dit, v'là l'moment d'te
    montrer :
Flanque-lui par la gueule un bon gros paquet d'bouse,
    V'là l'Palotin qu'a just'le dos tourné. —
    En entendant ce raisonn'ment superbe,
    J'attrap'sus l'coup mon courage à deux mains :
    J'flanque au Rentier une gigantesque merdre
    Qui s'aplatit sur l'nez du Palotin.

> *Voyez, voyez la machin'tourner,*
> *Voyez, voyez la cervell'sauter,*
> *Voyez, voyez les Rentiers trembler ;*

(CHŒUR) :   *Hourra, cornes-au-cul, vive le Père Ubu !*

Aussitôt j'suis lancé par-dessus la barrière,
Par la foule en fureur je me vois bousculé
Et j'suis précipité la tête la première
    Dans l'grand trou noir d'ous qu'on n'revient
    jamais. —
    Voilà c'que c'est qu'd'aller s'prom'ner l'dimanche
    Rue d'l'Échaudé pour voir décerveler,
Marcher l'Pinc'-Porc ou bien l'Démanch'-Comanche
On part vivant et l'on revient tudé.

       Voyez, voyez la machin'tourner,
       Voyez, voyez la cervell'sauter,
       Voyez, voyez les Rentiers trembler ;
(CHŒUR) :   *Hourra, cornes-au-cul, vive le Père Ubu !*

FIN

DOSSIER

VIE D'ALFRED JARRY
(1873-1907)

1873. Le 8 septembre, naissance à Laval, quai de l'Impératrice (aujourd'hui Jehan-Fouquet), d'Alfred,
Henry Jarry, fils d'Anselme Jarry, négociant en
tissus, et de Caroline Quernest, fille d'un juge
de paix. La famille Jarry possède plusieurs maisons à Laval.

1874. Le 8 juin, Jarry est baptisé, dans la cathédrale
de Laval, en même temps que sa sœur aînée
Caroline-Marie dite Charlotte, née le 8 février
1865. Curieux retard vis-à-vis des sacrements
de l'Église.

1878. En mai, Alfred Jarry entre au petit lycée de Laval,
3ᵉ division des minimes. Il y reste jusqu'en
juillet 1879.

1879. À la suite des revers de fortune d'Anselme Jarry,
Mᵐᵉ Jarry et ses deux enfants s'installent à
Saint-Brieuc où le père Quernest, qui a pris sa
retraite de juge de paix, donne des cours de
législation au lycée. En octobre, Alfred Jarry
devient élève du lycée de Saint-Brieuc ; il y fera
ses études jusqu'à la seconde incluse.

1885. Écrit ses premiers textes, surtout des comédies
en vers et en prose ; il les conserve dans un
dossier qu'il intitulera, adulte, *Ontogénie* et qui

sera retrouvé en 1947 par Maurice Saillet dans les archives du Mercure de France. Quinze pièces du recueil furent publiées par Maurice Saillet en 1964 sous le titre *Saint-Brieuc des Choux* (éd. du Mercure de France). La totalité du dossier se trouve maintenant dans le volume I des *Œuvres complètes* (Bibliothèque de la Pléiade). Cette production enfantine s'étend de 1885 à 1888. On y remarque le thème de la pompe à merdre, nommée aussi le Taurobole (qui donnera son titre à l'acte dernier de *César-Antechrist*) ou, en latin, l'Antlium.

1886. Nombreuses nominations au palmarès du lycée (notamment 1er prix de version latine, 1er prix de thème latin).

1887. Nouvelles nominations, entre autres 2e prix d'excellence, 1er prix de composition française, 1er prix de langue latine, 1er prix de langue grecque.

1888. À la fin de la classe de seconde, et pour sa dernière année à Saint-Brieuc, Jarry obtient le 1er prix d'excellence, le 1er prix de composition française, le 1er prix de langue latine, le 1er prix de version grecque, le 1er prix de mathématiques et sept autres prix ou accessits. Jarry connaît une courte période de lyrisme macabre (exemple : le long poème *La Seconde Vie ou Macaber*). En octobre, Mme Jarry revient à Rennes, sa ville natale, avec ses deux enfants. Jarry entre en première au lycée de Rennes. Le professeur de physique est M. Hébert, déjà surnommé par les générations précédentes le P. H. ou le Père Heb, Eb, Ébé, Ébon, Ébance ou Ébouille. Jarry se lie intimement avec un élève de sa classe, Henri Morin, qui détient tout un lot de pamphlets, sketches, pièces fugitives ayant pour héros le Père Hébert, dont *Les Polonais* rédigés principalement par le frère d'Henri, Charles Morin, qui a quitté Rennes et poursuit ses études à Paris. En décembre, *Les Polonais* sont joués chez les parents d'Henri Morin qui interprète le rôle du P. H., le décor est de Jarry.

1889. Nouvelle représentation chez les Morin des *Polonais* et sans doute d'autres pièces hébertiques. Jarry est reçu à la première partie du baccalauréat et il a obtenu un premier accessit de version latine au Concours général. En octobre, Jarry entre en classe de philosophie ; son professeur est B. Bourdon qui explique Nietzsche, non encore traduit, et sera, sous son nom latin de Bombus, l'un des personnages de certaines versions d'*Ubu cocu*.

1890. Jarry obtient la seconde partie du baccalauréat ès lettres (mention Bien). *Les Polonais* sont repris chez les Jarry rue Belair, en marionnettes puis en théâtre d'ombres. En octobre, entre en rhétorique supérieure au lycée de Rennes (classe préparatoire à l'École normale supérieure, correspondant sensiblement à l'actuelle hypokhâgne).

1891. En juin, Jarry s'installe à Paris, avec sa mère, 11, rue Cujas. Du 19 au 25 juin, passe les épreuves écrites du concours d'entrée à l'École normale supérieure. Échoue. En octobre, est élève de rhétorique supérieure au lycée Henri-IV (rhétorique A, 3e quartier). Parmi ses condisciples Albert Thibaudet, Louis Laloy, Jean Chantavoine, Gandilhon Gens-d'Armes... Son professeur de philosophie est Henri Bergson dont il prend en note l'intégralité du cours ; il

continuera ce travail pour l'année scolaire 1892-
1893 ; grâce à M. Lucien Julia, fils d'Édouard
Julia, ami de Jarry, on possède cet intéressant
document (au total plus de 850 feuillets).

1892. En avril, Léon-Paul Fargue entre au lycée Henri-
IV et devient très vite l'ami de Jarry qui se lie
également avec un autre de ses condisciples,
Claudius-Jacquet (dont sera fait, pour une
bonne part, le personnage de Valens dans *Les
Jours et les Nuits*). Du 17 au 23 juin, nouvelle
tentative au concours d'entrée à l'E.N.S., nouvel échec. S'installe avec sa mère 84, boulevard
de Port-Royal et loue pour lui-même, à deux
pas de là, dans un passage s'ouvrant au 78 du
boulevard, un local qui lui sert d'atelier et qu'il
appellera le Calvaire du Trucidé. En octobre,
se réinscrit à Henri-IV.

1893. Le 19 mars, premier texte imprimé de Jarry :
Châsse claire où s'endort [*La Régularité de la châsse*
dans *Les Minutes de sable mémorial*] dans *L'Écho
de Paris littéraire illustré* ; ce poème a obtenu un
prix en février lors du concours littéraire men-
suel de ce journal. Le 23 avril, publication dans
L'Écho de Paris de *Guignol* (première apparition d'Ubu) primé au concours de mars. Le
10 mai, la mère de Jarry meurt à Paris. En
juin, dans *L'Écho de Paris*, publication de *Lieds
funèbres* couronné en mai. Du 16 au 22 juin,
dernière et vaine tentative d'entrée à l'E.N.S.
Le 28 août, dans *L'Écho de Paris* quotidien, publication de *L'Opium*, prix de prose au concours
de juillet. En novembre, Jarry termine la traduction du *Dit du vieux marin* de Coleridge qu'il
proposera au *Mercure de France*. Avec ses amis
Fargue, Cremnitz et Francis Jourdain, fréquente

beaucoup les peintres et les galeries d'art ; assiste aux premiers spectacles du théâtre de l'Œuvre. En décembre, première collaboration à *L'Art littéraire*.

1894. Au début de l'année, envoie au *Mercure de France, Histoire tragique* qui deviendra *Haldernablou* et paraîtra dans le numéro de juillet. Le 4 février, le grand-père Quernest meurt à Saint-Brieuc. Jarry se présente à la licence ès lettres ; est déclaré « éliminé » le 13 mars. Devient actionnaire des éditions du Mercure de France et un familier de la maison ; amitié avec Remy de Gourmont. On voit Jarry chez Mallarmé. Collabore aux *Essais d'art libre*. En juin, séjour à Pont-Aven auprès de Gauguin et de Charles Filiger. Fait paraître dans *L'Art littéraire* : *Être et vivre* en mars-avril ; *Visions actuelles et futures* en mai (la 'Pataphysique est nommée dans ces deux textes qui traitent de l'art, de la mort et de l'anarchie) ; l'« Acte unique » (acte prologal) de *César-Antechrist* en juillet-août. En juillet, loue un appartement de deux pièces cuisine 162, boulevard Saint-Germain ; fait percer une cloison entre les deux pièces et donne des représentations d'*Ubu roi* pour ses amis du *Mercure de France*. Inscrit pour la quatrième fois au concours de l'E.N.S., renonce à se présenter. En septembre, dans le *Mercure*, grand article sur Filiger. En octobre, premier numéro de *L'Ymagier*, revue d'estampes dirigée par Remy de Gourmont et Jarry, et nouvel échec aux examens de la licence ès lettres. Le 5 octobre, aux éditions du Mercure de France, publication des *Minutes de sable mémorial*, premier livre de Jarry, où Ubu est présent par *Guignol*. Le

13 novembre, Jarry est incorporé au 101ᵉ régiment d'infanterie à Laval (son service militaire devrait être de trois ans).

1895. Le *Mercure de France* de mars publie l'« Acte héraldique » de *César-Antechrist*. À partir du 9 avril, au Salon des Indépendants, le Douanier Rousseau expose le portrait de Jarry (dont la trace est perdue). Le 18 août, le père de Jarry, Anselme, meurt à Laval. En septembre, dans le *Mercure de France* : l'« Acte terrestre » *(Ubu roi)* de *César-Antechrist*. Le service militaire laisse des loisirs à Jarry qu'on rencontre fréquemment à Paris. Jarry et sa sœur Charlotte commencent à liquider les biens immobiliers de la famille. Le 1ᵉʳ octobre, *César-Antechrist* (avec son « Acte terrestre » : *Ubu roi*) paraît aux éditions du Mercure de France. Le 5 novembre, Jarry demande à Alfred Vallette de faire les services de presse en imitant sa signature. En décembre, Jarry est hospitalisé au Val-de-Grâce ; il en sort le 14 réformé définitif n° 2 pour lithiase biliaire chronique. Le 23 décembre, à Laval, Alfred et Charlotte procèdent au partage des derniers biens restants : la maison des 13 et 15, rue de Bootz, la plus ancienne du patrimoine, appartient désormais à Charlotte. Par la vente des immeubles et le rachat de sa part de la rue de Bootz à Laval par Charlotte, Jarry a touché en trois mois plus de 15 000 francs-or.

1896. Le 8 janvier, importante lettre à Lugné-Poe lui exposant ses conceptions scéniques d'*Ubu roi* et lui annonçant *Les Polyèdres (Ubu cocu)*. En mars, Jarry, qui s'est séparé de Gourmont, fonde sa personnelle revue d'estampes *Perhinderion*. Fait fondre des caractères du XVᵉ siècle

qui serviront au numéro 2 (et dernier) de
Perhinderion (juin) et à l'édition originale d'*Ubu
roi*. En avril et mai, *Le Livre d'art*, revue de Paul
Fort, publie *Ubu roi* en préoriginale. Le 1er mai,
sur les amicales sollicitations de Félix Fénéon,
première collaboration à *La Revue blanche* avec
Le Vieux de la montagne. Jarry devient secrétaire
du théâtre de l'Œuvre. Le 11 juin, sortie d'*Ubu
roi* aux éditions du Mercure de France. Jarry
voyage en Hollande avec son ami le peintre
Léonard Sarluis. En été, séjour chez Gustave
Kahn, prés de Knokke-le-Zoute, en compagnie
de Paul Fort, Charles-Henry Hirsch et Robert
Ulmann. Nombreux articles sur *Ubu roi* dont
un, excellent, d'Émile Verhaeren dans *L'Art
moderne*. Dans le *Mercure de France* de septembre, Jarry donne son article *De l'inutilité du
théâtre au théâtre*. Le 6 octobre, Jarry assiste de
sa fenêtre du boulevard Saint-Germain avec
Vallette et sa femme Rachilde, au passage du
tsar Nicolas II en visite en France. Le 15 octobre, *La Revue blanche* publie *L'Autre Alceste*. Le
12 novembre, création de *Peer Gynt* d'Ibsen,
à l'Œuvre. Le 30 novembre, Jarry achète à
Trochon, marchand de cycles à Laval, une bicy-
clette « Clément luxe 96 course sur piste » au
prix de 525 francs ; il mourra avant de l'avoir
payée. Le 1er décembre, dans *La Revue blanche :
Les Paralipomènes d'Ubu*. Le 9 décembre, répétition générale d'*Ubu roi* au théâtre de l'Œuvre ;
le lendemain 10 décembre, première. La pièce
fait scandale ; toute la presse s'en empare,
généralement pour en dire pis que pendre.

1897. Le 1er janvier, le *Mercure de France* publie la conférence de Jarry à la création d'*Ubu roi* et *La*

Revue blanche, Questions de théâtre où il règle ses comptes avec la critique. Jarry est agréé comme membre stagiaire de la Société des auteurs et compositeurs dramatiques. Jarry, qui a dilapidé son héritage en dix-huit mois, abandonne le boulevard Saint-Germain et réintègre le Calvaire du Trucidé, boulevard de Port-Royal. Le 2 mars, au cours d'un dîner littéraire, Jarry ivre tire des coups de revolver sur Christian Beck, jeune Belge, collaborateur du *Mercure de France*, qui sera le singe papion Bosse-de-Nage dans *Faustroll* (sur cette soirée, lire *Les Faux-Monnayeurs* d'André Gide). Le 18 mai, publication aux éditions du Mercure de France de *Les Jours et les Nuits, roman d'un déserteur*. Achète le 9 juillet une périssoire (un « as ») en acajou pour mieux pêcher dans la Seine, la Marne et l'Yonne, avec ses amis du Mercure de France : Vallette, A.-F. Herold, Pierre Quillard. Le 1er août, première collaboration de Jarry à *La Plume*. Expulsé du Calvaire du Trucidé, se réfugie chez le Douanier Rousseau, 14, avenue du Maine. En octobre, aux éditions du Mercure de France, publication d'*Ubu roi* en fac-similé autographique avec la musique de Claude Terrasse. Jarry collabore au n° 5 de *L'Omnibus de Corinthe, véhicule illustré des idées générales* avec, notamment, cette *Opinion de M. Ubu sur le 14 juillet* : « Le 14 juillet est une date abominable, Môôôssieu, parce que c'est l'anniversaire des massacres de septembre. » Il loue en novembre un logement très bas de plafond au « deuxième et demi » du 7, rue Cassette, qu'il conservera jusqu'à sa mort. Jarry commence à travailler avec Claude Terrasse à un *Pantagruel* destiné primitivement au Théâtre des Pantins qui ouvre ses portes le 24 décembre, 6, rue Ballu, dans un vaste atelier attenant à l'appartement de Terrasse ; la machinerie est construite et actionnée par Jarry.

1898. Le 20 janvier, au Théâtre des Pantins, création d'*Ubu roi* par les marionnettes de Pierre Bonnard (sauf le Père Ubu qui est de Jarry). Le *Mercure de France* édite, dans le « Répertoire des Pantins », l'ouverture d'*Ubu roi*, la *Marche des Polonais* et la *Chanson du décervelage*, ces trois opus sous lithographies de Jarry. Au printemps, avec Vallette et Rachilde, A.-F. Herold, Pierre Quillard et Marcel Collière, Jarry loue une villa à Corbeil, 19, quai de l'Apport ; il la nomme le Phalanstère ; il y écrit la majeure partie de *Gestes et opinions du docteur Faustroll, pataphysicien* dont quelques chapitres paraissent dans le *Mercure de France* de mai, tandis que l'éditeur Pierre Fort publie *L'Amour en visites* (dont le chapitre XI *Chez Madame Ubu* est une reprise de *L'Art et la Science* des *Minutes de sable mémorial*). Le 19 mai, Jarry fait la connaissance d'Oscar Wilde, libéré de prison. Le 11 septembre, il assiste aux obsèques de Mallarmé, à Valvins. Le 5 décembre, il termine *Par la taille* (qui ne paraîtra qu'en 1906). En décembre, publication de l'*Almanach du Père Ubu illustré*, avec les images de Pierre Bonnard.

1899. La propriétaire ayant décidé de récupérer sa villa, le Phalanstère de Corbeil est dissous à la fin de janvier. Dans le numéro de février du *Mercure de France* paraît, sous la signature du « Docteur Faustroll », le *Commentaire pour servir à la construction pratique de la machine à explorer le temps.* En mai, Jarry publie en fac-similé auto-graphique, à compte d'auteur (et à 50 exemplaires, mais en dépôt au Mercure), *L'Amour absolu.* Le 18 mai, il loue pour lui et les anciens phalanstériens de Corbeil une villa à La Frette ; c'est là qu'il termine, en septembre, *Ubu enchaîné.* La location de La Frette prend fin en novembre.

1900. Dans *La Revue blanche* du 1ᵉʳ janvier, *Les Silènes* de Grabbe dans la traduction de Jarry. Les Vallette louent une villa, qu'ils achèteront en 1904, aux Bas-Vignons, commune du Plessis-Chenet, au bord de la Seine, sur le chemin de halage. Jarry s'installe, non loin de là, dans une baraque dépendant de l'auberge du Barrage, au barrage du Coudray. Il est fréquemment l'invité d'Eugène Demolder, gendre de Félicien Rops et qui en a hérité une splendide propriété, la Demi-Lune, surplombant la boucle de la Seine. Demolder et Jarry travaillent ensemble au *Pantagruel* et à d'autres opérettes ou opéras bouffes destinés le plus souvent à Claude Terrasse. Le 15 mai, représentation de *Léda,* opéra bouffe écrit en collaboration avec Karl Rosenval (Mᵐᵉ Gaston Danville). Publication aux éditions de la Revue blanche d'*Ubu enchaîné,* inédit, précédé d'*Ubu roi,* version définitive. Du 1ᵉʳ juillet au 15 septembre, Jarry publie, en six numéros de *La Revue blanche, Messaline,* roman de l'ancienne Rome. En décembre, paraît *L'Almanach illustré du Père Ubu (XXᵉ siècle)* avec les illustrations de Pierre Bonnard et la collaboration de Claude Terrasse, Fagus et Ambroise Vollard (qui finance l'entreprise).

1901. En janvier, *Messaline* paraît en volume aux éditions de la Revue blanche. Le 15 janvier, première « Spéculation » de Jarry dans *La Revue blanche*, début d'une collaboration régulière qui se poursuivra avec *Gestes* et de nombreuses critiques de livres ou de théâtre jusqu'à la disparition de la revue en 1903 et procurera, ces années-là, à Jarry ses principales ressources. De février à mai, la revue *La Vogue* publie en quatre numéros *Olalla*, de R. L. Stevenson, traduit par Jarry. En mai, au Salon des Indépendants, conférence de Jarry : *Le Temps dans l'art*. Jarry collabore avec un texte sur *Le Camelot* à un ouvrage collectif : *Figures de Paris, ceux qu'on rencontre et celles qu'on frôle* (Floury éd.). Le 23 novembre répétition « intime » au Cabaret des 4-Z'Arts, boulevard de Clichy, d'*Ubu sur la Butte* par le Guignol des Gueules de bois dont la répétition générale a lieu le 27 novembre. Les 19, 21 et 24 décembre, Lugné-Poe reprend *Peer Gynt* sur la scène du Nouveau Théâtre : Jarry y tient le rôle du Premier Troll de Cour.

1902. Dans *La Revue blanche* du 15 février, Jarry accuse Nonce Casanova d'avoir plagié sa *Messaline* dans un roman du même titre. Le 21 mars, Jarry prononce à Bruxelles, à la Libre Esthétique, une conférence sur les Pantins. En mai, aux éditions de la Revue blanche, paraît *Le Surmâle*. Le 22 juillet, F. A. Cazals publie *Le Jardin des ronces* avec « privilège d'Ubu roi » calqué par Jarry sur le privilège de Henri II pour les œuvres de Rabelais. Le 13 octobre, les éditions de la Revue blanche sont cédées à Eugène Fasquelle.

1903. *La Plume* du 1er janvier donne le premier article de Jarry de la série « Périple de la littérature et de l'art ». 21 mars, premier numéro du *Canard sauvage* dirigé par Franc-Nohain, qui paraîtra jusqu'au 18 octobre et aura trente et un numéros : Jarry collaborera à tous, sauf un. Le 1er avril, dans *La Revue blanche, La Bataille de Morsang*, chapitre de *La Dragonne*, roman que Jarry ne pourra terminer. Le 15 avril, dernier numéro de *La Revue blanche* : Jarry y donne deux beaux poèmes : *Bardes et cordes* et *Le Chaînier*. Le 16 mai, Jarry préside le banquet de *La Plume* au restaurant du Palais, 3, place Saint-Michel, et la séance de déclamation au Caveau du Soleil d'or ; il récite *La Régularité de la chasse, La Princesse Mandragore* et *Le Bain du roi* (dernier hommage à Ubu). Jarry s'est fait de nouveaux amis : Guillaume Apollinaire, André Salmon, Pablo Picasso, Max Jacob, le sculpteur Manolo, Maurice Raynal, Pierre Mac Orlan, Charles-Louis Philippe. Il collabore à *L'Œil*, de son n° 2 (24 mai) à son n° 8 (5 juillet). Avec Eugène Demolder, il entreprend un opéra bouffe sur la Papesse Jeanne, à mettre en musique par Terrasse. En novembre, rejoint Claude Terrasse au Grand-Lemps (près de Grenoble) pour travailler à l'interminable *Pantagruel*. Le n° 2 (décembre) du *Festin d'Ésope*, revue d'Apollinaire, publie une partie de *L'Objet aimé* (le premier suicide de Monsieur Vieuxbois, d'après Töpffer, à peu près le quart de la pastorale intégrale qui paraîtra en 1908, dans la revue de Marinetti : *Poesia*).

1904. *La Plume* du 15 janvier donne le dernier article de Jarry du « Périple de la littérature et de l'art ». Dans son n° 6 (avril), la *Moderni Revue* de Prague commence la publication de *Messaline*, traduite en tchèque, qu'elle poursuivra en six numéros. Le 9 mai, Jarry revient du Grand-Lemps après un séjour de six mois dans la propriété de Terrasse où Eugène Demolder aura fait, lui aussi, plusieurs séjours sans aboutir à la terminaison du *Pantagruel*. Félix Fénéon introduit Jarry au *Figaro* ; on lui confie une rubrique de « Fantaisies parisiennes » ; une seule — sur le 14 juillet — paraît dans le numéro du 16 juillet ; elle lui est payée 25 francs ; trois autres « fantaisies » seront écrites, mais ne seront pas acceptées. Le 15 novembre, Jarry se retrouve au Grand-Lemps ; il n'y reste cette fois qu'une dizaine de jours. Le 23 décembre, il acquiert une parcelle de terrain aux Bas-Vignons, séparée de la maison des Vallette par le Sentier des Vaches qui grimpe à travers bois jusqu'à la propriété de Demolder.

1905. *Le Manoir enchanté* (intitulé aussi *Le Manoir de Cagliostro*), opéra bouffe, musique de Claude Terrasse, est donné, en représentation privée, à Paris, rue Murillo, le 10 janvier. La production de livrets pour Claude Terrasse, à laquelle participe Eugène Demolder, s'intensifie (outre *Pantagruel*, toujours en chantier, *Jef*, *L'Amour maladroit*, *Pieter de Delft*, *Le Bon Roi Dagobert*). Le 24 janvier, Jarry achète une nouvelle parcelle de terrain aux Bas-Vignons. Le 7 février, il est de passage à Rennes au cours d'un voyage chez ses oncles de Lamballe. Le 29 février, il assiste au cimetière Montparnasse aux obsèques de Marcel Schwob, mort le 26. Fin avril, il signe à la Société des auteurs et compositeurs dramatiques un traité avec Claude Terrasse sur les droits du *Pantagruel* (inachevé). Au cours d'un dîner chez Maurice Raynal, rue de Rennes, et en présence d'Apollinaire qui le désarmera, il tire des coups de revolver sur Manolo. On rencontre Jarry au Cercle Victor-Hugo, où il a son couvert auprès de la marquise de Belbeuf, de la Belle Otéro, de Liane de Pougy, Colette Willy, Gabriel de Lautrec, Paul-Jean Toulet, Curnonsky, Paul Reboux, Robert Scheffer ; le Cercle édite la revue *Le Damier*. En juillet, achat d'un troisième lopin de terre aux Bas-Vignons. Le 30 juillet, départ pour la Bretagne, chez les oncles de Lamballe. Il commande les premiers travaux d'édification du Tripode, une baraque en bois, de 3,69 m x 3,69 m sur quatre pieds de maçonnerie qui occupera à peu près toute la surface des parcelles de terrain achetées en deux ans. En décembre, Jarry remercie Marinetti de son *Roi Bombance* et lui envoie deux poèmes de C.-J. Kernec'h de Coutouly de Dorset, qui n'est autre que sa sœur Charlotte (les deux poèmes et la lettre paraîtront dans *Poesia* n° 9 à 12 à la fin de 1907). L'hiver est très rude et Jarry souffre du froid et de « l'influenza » (premiers signes, sans doute, de la tuberculose dont il mourra). Il travaille avec et chez le docteur Jean Saltas, 59, rue de Rennes, à la traduction de *La Papesse Jeanne* du Grec Emmanuel Rhoïdès, quoique ce texte ait déjà été traduit en français, avec préface de Barbey d'Aurevilly, ce que Jarry ignorera ou feindra d'ignorer jusqu'en 1907. Il fête la Saint-Sylvestre chez les Vallette.

1906. Quelques amis proposent à Jarry, dont le dénuement est extrême, une représentation d'*Ubu roi* à son profit ; Laurent Tailhade ferait une conférence ; Guitry prêterait son théâtre ; Jarry accepte le 2 avril ; *Vers et prose* de l'ami Paul Fort l'annonce ; le projet ne se réalisera qu'après la mort de Jarry. *Vers et prose*, dans son numéro de mars-avril-mai, publie le premier chapitre de *La Dragonne* : « Omne viro soli ». Le 29 avril, au cimetière Montparnasse, obsèques d'Eugène Carrière, en présence de Jarry. Le 11 mai, Jarry, malade, part pour Laval où sa sœur Charlotte le soignera dans un logement loué 13, rue Charles-Landelle. Vallette et Fénéon lancent une souscription pour une édition de luxe du *Moutardier du pape*, état définitif de l'opérette sur la Papesse Jeanne mise en chantier en 1903 ; les bénéfices iraient à Jarry. Le 27 mai, se jugeant « à l'article de la mort », Jarry dicte à sa sœur un vaste plan de son roman en cours *La Dragonne*. Le 28 mai, il reçoit les derniers sacrements, rédige le faire-part de son décès et un testament au profit de Rachilde ; le soir même il télégraphie aux Vallette qu'il va mieux ; le 30, il les prie d'excuser sa « littérature exagérée » ; le 8 juin, il corrige les épreuves du *Moutardier* ; le 15 juin, il revend le terrain du Tripode à sa sœur ; le 7 juillet, Vallette lui envoie son vélo ; pour montrer à ses amis qu'il se porte bien, Jarry se fait photographier en escrimeur dans des poses avantageuses. Le 26 juillet, il est de retour à Paris et assiste au dîner offert par *Vers et prose* en l'honneur de Jean Moréas. Il lance chez l'éditeur Sansot une collection de « Théâtre mirlitonesque » : les deux premiers volumes (sous une couverture imitant le frontispice du *Pantagruel* (1532) de Rabelais) sont *Par la taille* (terminé en 1898) et *Ubu sur la Butte* (de 1901) ; les quatre autres volumes annoncés (dont *Ubu intime* autrement nommé *Ubu cocu*) ne paraîtront pas. En septembre, fait faire au docteur Saltas la tournée des mastroquets du Coudray, Essonnes et lieux voisins. En octobre, se félicite d'avoir retrouvé sur une table de bistrot les épreuves corrigées du *Moutardier*. En décembre, se réjouit de pouvoir bientôt collaborer à un journal de publicité pharmaceutique *Chanteclair* (il n'y collaborera pas). Le 9 décembre, sur l'invitation de Henry Vernot, beau-frère du baron Mollet, secrétaire d'Apollinaire, et de quelques amis, participe à un dîner avec dinde aux marrons. Le 25 décembre, réveillonne rue Mouffetard dans un restaurant à l'enseigne « Fabrique d'escargots de Bourgogne » qu'il nomme « Notre Grande Manufacture d'Escargots ».

1907. En janvier et février, Jarry est à Laval, au 13, rue Charles-Landelle ; il n'assistera pas aux funérailles de sa cousine Lerestif des Tertres, morte à Lamballe le 30 janvier et inhumée le 1er février. La situation financière de Jarry devient inextricable ; dettes partout ; marchands de vins, propriétaire, artisans construisant le Tripode ; Vallette lui déconseille de rentrer à Paris. Son propriétaire de la rue Cassette menace de lui donner congé, mais le 22 février lui accorde un nouveau délai jusqu'au 8 mars. Jarry est de retour à Paris vers le 10 avril, mais bien malade, au lit. À la fin du mois, Jarry est reparti pour Laval. Le 3 mai, l'éditeur Victor

Lemasle met en vente une petite plaquette *Albert Samain : souvenirs* que Jarry estimera « bâclée ». Le 5 mai, sa sœur et lui quittent le 13, rue Charles-Landelle pour réintégrer la maison « ancestrale » du 13, rue de Bootz. Le 15 mai, le propriétaire de la rue Cassette signifie congé à Jarry judiciairement, mais les choses s'arrangeront encore une fois, in extremis. Au début de juin, *Le Moutardier du pape* est envoyé aux souscripteurs ; Jarry a depuis longtemps dépensé les quelque 1 300 francs de la souscription et, du reste, les cent vingt exemplaires du tirage sont loin d'être épuisés. Comme l'année précédente, des quantités énormes de vin blanc et rouge entrent dans la cave de Laval. L'état de santé de Jarry se dégrade rapidement ; il ne peut mener à bien aucun de ses projets (*Dragonne, Papesse Jeanne, Chandelle verte* — où il se propose de réunir un choix de ses spéculations, un autre roman). Au début de juillet, Jarry reçoit 100 francs de Thadée Natanson (qui avait dirigé *La Revue blanche* avec son frère Alexandre) ; cet « or polonais de nos trésors de Varsovie » lui permet de régler ses affaires avec son propriétaire de la rue Cassette qui lui a accordé un nouveau délai jusqu'au 15 juillet. Jarry est revenu de Laval le 6 juillet ; le 8, extrêmement fatigué, il demande à Vallette de venir le voir rue Cassette ; le 10 juillet, il reprend le train pour Laval. Le 29 juillet, Vallette lui déconseille formellement de venir au Tripode où l'attendent quantité de créanciers. Alexandre Natanson paie, en août, le terme du loyer de la rue Cassette. En septembre, Jarry annonce son retour

à Paris pour le 23, mais en recule plusieurs
fois la date. Dans les premiers jours d'octobre,
Thadée Natanson et Octave Mirbeau lui
envoient une assez forte somme. Jarry rentre à
Paris le 7 octobre. Quelques jours plus tard il
est « cloué à la chambre » ; le 26 octobre, il
sollicite de Thadée Natanson un demi-louis,
voire un louis, afin de tenir une semaine, le
temps, croit-il, d'achever *La Dragonne* qu'il
promet à Fasquelle depuis plusieurs mois. Le
29 octobre, sans nouvelles de Jarry, Vallette et
Saltas se rendent rue Cassette ; Jarry est inca-
pable de leur ouvrir la porte ; ils font appel à
un serrurier, trouvent Jarry dans un état si
lamentable qu'ils le font transporter à l'hôpital
de la Charité, 47, rue Jacob. Jarry est hospitalisé
dans le service du professeur Henri Roger. Il
meurt le 1ᵉʳ novembre 1907, à 4 h 15 du soir,
d'une méningite tuberculeuse.

NOTICE

Des fins fonds d'où Ubu émergea, toutes nos connaissances reposent sur les témoignages des frères Charles et Henri Morin recueillis par Charles Chassé dans *Sous le masque d'Alfred Jarry (?). Les Sources d'Ubu roi* (1921) et repris, avec quelques documents nouveaux, dans *Dans les coulisses de la gloire : d'Ubu roi au Douanier Rousseau* (1947).

De rares contemporains d'Alfred Jarry savaient qu'*Ubu roi* était une pièce « écrite au collège en collaboration avec deux camarades » (Alfred Vallette : notice nécrologique de Jarry dans le *Mercure de France*, décembre 1907). Jarry s'en est toujours affirmé l'auteur, et l'auteur unique : ce mensonge, si c'en est un, est impudemment soutenu dans *Les Paralipomènes d'Ubu* ; certes, Jarry se garde de parler à la première personne ou d'user d'un pluriel de majesté qui eût été gros d'ambiguïté ; cependant, nul lecteur de son temps n'aurait conçu « l'auteur » comme étant autre que lui-même.

Notre préface rappelle les circonstances d'écriture de la pièce *Les Polonais* (qui deviendra *Ubu roi*) et justifie son appropriation par Jarry, nous n'y reviendrons pas.

En revanche, il n'est peut-être pas indifférent de savoir de quel magma primordial sortaient *Les Polonais* et de quelle longue histoire du P. H. ils constituaient l'un des épisodes. Nous remonterons ainsi aux ante-prolégomènes d'Ubu. Aujourd'hui encore, comme il l'avait fait pour notre *Alfred Jarry, d'Ubu roi au docteur Faustroll,* Jean Chassé veut bien nous autoriser à extraire du livre de son père, Charles Chassé, la reconstitution, d'après la tradition orale, des origines du P. H. écrite, de mémoire, par Charles Morin :

On peut voir encore aujourd'hui, dans le désert du Turkestan, les ruines d'une ville immense, qui fut, des milliers d'années avant notre ère, la capitale d'un grand empire, dont les derniers souverains identifiés par l'Histoire sont M. Dromberg I, M. Dromberg II et M. Dromberg III. La population de l'empire en question était composée d'Hommes-Zénormes. Sous le règne de M. Dromberg III naquit, sur les bords de l'Oxus, le P. H., résultat du commerce d'un Homme-Zénorme avec une sorcière tartare ou mongole qui vivait dans les joncs et les roseaux des rives de la mer d'Aral.

Caractéristiques du P. H. — Il naquit avec son chapeau forme simili-cronstadt, sa robe de laine et son pantalon à carreaux. Il porte sur le haut de la tête une seule oreille extensible qui, en temps normal, est ramassée sous son chapeau ; il a les deux bras du même côté (comme ont les yeux, les soles) et, au lieu d'avoir les pieds, un de chaque bord comme les humains, les a dans le prolongement l'un de l'autre, de sorte que quand il vient à tomber, il ne peut pas se ramasser tout seul et reste à gueuler sur place jusqu'à ce qu'on vienne le ramasser. Il n'a que trois dents, une dent de pierre, une de fer et une de bois. Quand ses dents de la mâchoire supérieure commencent à percer, il se les renfonce à coups de pied.

N. B. On appelle ombilic le ou les points d'une surface où cette surface est coupée par son plan tangent suivant un cercle.

On démontre que :

1° Tous les points de la surface du P. H. sont des ombilics ;

2° *Tout corps tel que tous les points de sa surface soient des ombilics est un P. H.*

Le P. H. fut baptisé à l'essence de pataphysique par un vieil Homme-Zénorme en retraite qui habitait une cassine au pied des montagnes de Chine et le prit pour garder ses polochons. (Les polochons étaient des animaux assez semblables à de gros porcs ; ils n'avaient pas de tête, mais, en revanche, possédaient deux culs, un à l'avant, l'autre à l'arrière.)

Tous les ans, à la fonte des neiges, le P. H. emmenait son troupeau composé de 3 milliards 333 millions 333 mille 333 polochons paître dans les steppes entre la mer Caspienne, la mer d'Aral et le lac Balgatch ; lui-même emportait sa nourriture dans une énorme poche qu'il traînait derrière lui au moyen d'une bretelle. À son retour, aux premières neiges, son parrain comptait soigneusement ses polochons, ce qui l'occupait pendant tout l'hiver.

Mais le parrain était très pingre au point de vue nourriture et, une année, en fin de saison, le P. H., se trouvant à court de subsistance, avait boulotté un des polochons. Il voulut faire croire à son parrain que ledit polochon avait été enlevé par une panthère ; malheureusement, la queue du polochon était restée entre ses dents, ce qui le trahit. Aussitôt, le parrain envoya son polochon voyageur extra-rapide demander à M. Dromberg III de mobiliser les Hommes-Zénormes pour venir s'emparer du P. H., lequel s'était grouillé pendant la nuit et avait traversé les montagnes de Chine, derrière lesquelles il se croyait à l'abri.

Mais, dès le lendemain, il aperçut par-dessus les montagnes les silhouettes des Hommes-Zénormes ; de suite, il prit chasse avec une telle vitesse qu'il passa dans une gorge trop étroite des monts Altaï et y laissa deux morceaux de sa robe de laine ; en plus, sa gidouille fut fortement comprimée sur les côtés et il s'y forma deux méplats qui étaient encore visibles à la fin du XIXe siècle. Cependant il avait passé !

La foule immense des Hommes-Zénormes arriva au même défilé, dans une horrible pagaïe ; ils s'écrasèrent tous les uns sur les autres, ceux de l'arrière poussant toujours, sans savoir pourquoi le mouvement s'arrêtait. Si on en croit Hérodote (Lib. III, chap. XII), le fracas des Hommes-Zénormes fut entendu de l'île de Ceylan.

Pendant que le P. H. continuait à fuir à travers la Mongolie, la Mandchourie et la Sibérie, le reste de l'armée des Hommes-Zénormes avait coupé court et retrouvé facilement sa trace à cause des marques laissées par ses deux pieds dans l'axe. Arrivé à la source du fleuve Anadyr, il rencontra le Diable à qui il vendit son âme s'il voulait le sauver. Le marché conclu et, au moment où il allait être croché par les Hommes-Zénormes, il piqua une tête dans le gouffre effrayant au fond duquel sont les sources de l'Anadyr et fut instantanément transformé en un petit poisson de cuivre. Il descendit le fleuve, passa la mer et le détroit de Behring, entra dans l'océan Glacial et fut pris dans la banquise au nord de la Sibérie. Il y resta mille ans, conservé dans la glace. À la suite d'un hiver exceptionnellement doux, il put se dégager et continuer sa route vers l'ouest et, aux environs du cap Nord, sentit les premiers effluves chauds du Gulf-Stream. Attiré par la chaleur, il descendit le long des côtes de Norvège, puis le pas de Calais et arriva à l'embouchure de la Seine.

Là, pour le malheur de l'humanité, il eut l'idée de remonter le fleuve et fut finalement pêché par un bonhomme qui pêchait à la ligne près du pont du Louvre. Mais, à mesure qu'il sortait de l'eau, le P. H. reprenait sa forme première et le bonhomme, voyant surgir cet ignoble chapeau, ce mufle porcin et cette énorme gidouille, s'enfuit épouvanté. Le P. H. se débarrassa, non sans peine, de l'hameçon qui l'avait croché et commença incontinent la série de ses méfaits. Ceci se passait au XIVe siècle, sous le règne du roi Charles V.

Peu après, le P. H. fut reçu au bachot avec la mention très mal, par des professeurs terrorisés. Son seul bagage scientifique se composait de deux ou trois caractères cunéiformes qu'il essaya de reproduire tant bien que mal.

Ensuite, à la tête d'une bande de fripouilles commandée par le capitaine Rolando (travesti bêtement en Bordure par le jeune J...y), il s'empara du château de Mondragon dont il fit son repaire.

Puis, ce fut le voyage en Espagne, l'usurpation du royaume d'Aragon, le départ en Pologne comme capitaine de dragons, etc.

On a remarqué l'agacement de Charles Morin devant la transformation du capitaine Rolando en Bordure. La thèse des deux frères veut qu'*Ubu roi* s'identifie totalement aux *Polonais*, hormis les noms de quelques personnages : Ubu d'abord — et ce n'est pas rien — ultime altération du patronyme Hébert, et les Palotins (anciennement salopins) Giron, Pile et Cotice qui s'appelaient Don Juan d'Avilar, Don Pedro de Morilla et Don Guzman Alvarez. Selon toute vraisemblance, c'est au moment où il bâtit *César-Antechrist* (1895) « où tout est par blason », que Jarry baptise les Palotins de noms empruntés au vocabulaire de l'héraldique. La rancune égare Charles Morin ; il s'imagine que Jarry a, tout seul, à Paris, dépouillé les personnages des *Polonais* de leur hispanité. En fait, Morin l'aîné avait quitté Rennes et cessé de collaborer à la geste hébertique quand Jarry et Henri Morin faisaient de nos trois hidalgos les Palotins Quatrezoneilles, Merdanpot et Mouchedgog (*Les Minutes de sable mémorial* et *Ubu cocu*) sur le modèle rabelaisien des capitaines picrocholistes Merdaille, Basdefesses, etc., et des cuisiniers Mouschelardon, etc., ou encore à l'imitation des trois estafiers, soudards et filous dont est flanqué Falstaff dans les *Joyeuses Commères* de Shakespeare : Bardolph, Nym et Pistol, ce qui, entre parenthèses, tendrait à prouver que ni Rabelais ni Shakespeare n'étaient inconnus des lycéens de Rennes

malgré l'affirmation contraire des frères Morin. En bla-
sonnant les Palotins dans *César-Antechrist* et *Ubu roi*, en
les élevant de leur aristocratie trop humaine, quoique
imaginaire, au rang d'objets-symboles ou, pour parler
moderne, ici — pensons-nous — avec quelque exacti-
tude, au rang d'objets à fonctionnement symbolique,
Jarry leur rendait une noblesse, et dès lors immarcesci-
ble, dont les dernières mutations rennaises les avaient
destitués. Quant à Bordure, Charles Morin n'a pas
compris qu'il venait, lui aussi, de l'héraldique. (Nous
renvoyons à nos notes pour le décryptage et la signification de ces noms.)

   Des *Polonais* de 1885-1887, dus à Charles et Henri
Morin, le manuscrit, d'une trentaine de pages d'un
cahier d'écolier, est perdu. Sa description (par Charles
Morin à Charles Chassé) fait douter qu'il ait pu conte-
nir tout le texte d'*Ubu roi*. *Les Polonais* de 1888, incontes-
tablement joués à Rennes par Henri Morin et Alfred
Jarry, seraient donc déjà une version remaniée et
complétée pour la scène du court texte primitif. De ces
Polonais, très proches — on veut bien l'admettre, quoique sans la moindre preuve — de notre *Ubu roi*, aucun
manuscrit ne nous est non plus parvenu. Le seul manuscrit de la pièce — telle que nous la connaissons —
passé en vente publique ne présentait ni ratures ni surcharges et était une copie destinée à l'impression. On
a quelques raisons de penser que Jarry a retravaillé *Les
Polonais* de 1888 pour en faire l'*Ubu roi* de 1896, tout
identiques qu'il les ait prétendus, mais nous ignorons
les retouches qu'il y aurait alors opérées, en plus de la
transformation, assurément tardive, des Palotins en
figures de blason.

   Si Ubu est présent dès 1894 dans *Les Minutes de sable
mémorial* par d'anciennes scènes rennaises tirées d'*Ubu
cocu* (dont l'une, sous le titre *Guignol*, avait été impri-

mée — et primée — par *L'Écho de Paris littéraire illustré* du 23 avril 1893, ce qui a le mérite de fixer au plus tard à cette date la création du nom d'Ubu), *Ubu roi* apparaît pour la première fois dans *César-Antechrist*, achevé d'imprimer en octobre 1895, dont il constitue l'« Acte terrestre » (publié d'abord dans *Le Mercure de France* de septembre 1895) avec de notables coupures par rapport au texte actuel : cinq premières scènes de l'acte I, scènes III, IV, V et VII de l'acte II ; scènes I et II de l'acte IV, et, inversement, quelques phrases qui ne seront pas maintenues dans la version définitive et diverses variantes.

La revue de Paul Fort, *Le Livre d'art*, donne l'intégralité d'*Ubu roi*, en pré-originale, dans ses numéros 2 (avril) et 3 (mai) de 1896.

L'édition originale, aux Éditions du Mercure de France, sort des presses le 11 juin 1896.

Une édition en fac-similé autographique, avec la musique de Claude Terrasse, paraît, aux mêmes éditions, en 1897.

Le sous-titre « ou les Polonais », qui ne figure pas dans *César-Antechrist*, apparaît dans *Le Livre d'art* et sera supprimé de l'originale et des éditions postérieures.

Le programme du théâtre de l'Œuvre, lithographié par Jarry, élimine également le sous-titre comme le fera en 1898 le programme du Théâtre des Pantins (autre lithographie de Jarry).

Après l'hésitation du *Livre d'art*, Jarry a décidément pris le parti d'échapper à la matrice rennaise.

La pièce est créée par le théâtre de l'Œuvre, sur la scène du Nouveau Théâtre, rue Blanche ; elle sera jouée deux fois : le 9 décembre 1896 (répétition générale) et le lendemain 10 décembre (première). Cette brève carrière parisienne ne doit pas surprendre : les spectacles de l'Œuvre, lors de leur création, n'ont jamais plus de deux représentations dans la capitale ; ce sont les tournées qui assurent le plus clair des ressources de la troupe, mais Lugné-Poe, mis sur le flanc (au moral et dans ses finances, malgré la quasi certaine participation de Jarry aux dépenses) par les deux soirées de la rue Blanche n'emportera pas *Ubu roi* en tournée ; d'ailleurs, il rompra l'année suivante avec les symbolistes.

Firmin Gémier, pensionnaire de l'Odéon, est « prêté » pour deux seuls soirs. Les décors sont de Sérusier et A.J., à s'en tenir au programme, mais Pierre Bonnard, Toulouse-Lautrec, Vuillard, Ranson y auraient collaboré. Jarry a dessiné les masques. La musique est de Claude Terrasse ; l'orchestre — que le temps, et l'argent, a manqué pour recruter — se réduit à un piano.

L'édition autographique de 1897 donnera la *Composition de l'orchestre* qui était la suivante :

> *Hautbois*
>
> *Chalumeaux*
>
> *Cervelas*
>
> *Grande Basse*
> *Flageolets*
>
> *Flûtes traversières*
>
> *Grande Flûte*
>
> *Petit Basson*   *Grand Basson*
> *Triple Basson*   *Petits Cornets noirs*
>
> *Cornets blancs aigus*
>
> *Cors*   *Sacquebutes*   *Trombones*
>   *Oliphans verts*   *Galoubets*
>
> *Cornemuses*
>
> *Bombardes*   *Timbales*
> *Tambour*   *Grosse Caisse*
>
> *Grandes Orgues*

On connaît par un document inédit, révélé dans le n° 3-4 des *Cahiers du Collège de 'Pataphysique* (22 haha 78 = 27 octobre 1950) le *Répertoire des costumes* :

Père Ubu. — *Complet veston gris d'acier, toujours une canne enfoncée dans la poche droite, chapeau melon. Couronne par-dessus son chapeau, à partir de la scène* II *de l'acte II. Nu-tête à partir de la scène* VI *(acte II). — Acte III, scène* II, *couronne et capeline blanche en forme de manteau royal... Scène* IV *(acte III) grand caban, casquette de voyage à oreilles, même costume mais nu-tête à la scène* VII. *Scène* VIII, *caban, casque, à la ceinture un sabre, un croc, des ciseaux, un couteau, toujours la canne dans la poche droite. Une bouteille lui battant les fesses. Scène* V *(acte IV) caban et casquette sans armes ni bâton. Une valise à la main dans la scène du navire.*

Mère Ubu. — *Costume de concierge marchande à la toilette. Bonnet rose ou chapeau à fleurs et plumes, au côté un cabas ou filet. Un tablier dans la scène du festin. Manteau royal à partir de la scène* VI, *acte II.*

Capitaine Bordure. — *Costume de musicien hongrois très collant, rouge. Grand manteau, grande épée, bottes crénelées, tchapska à plumes.*

Le Roi Venceslas. — *Le manteau royal et la couronne que portera Ubu après le meurtre du roi.*

La Reine Rosemonde. — *Le manteau et la couronne que portera la mère Ubu.*

Boleslas, Ladislas. — *Costumes polonais gris à brande-bourgs, culottes courtes.*

Bougrelas. — *En bébé en petite jupe et bonnet à* [deux mots effacés].

Le Général Lascy. — *Costume polonais, avec un bicorne à plumes blanches et un sabre.*

Stanislas Leczinski. — *En Polonais. Barbe blanche.*

Jean Sobieski, N. Rensky. — *En Polonais.*

Le Czar ou l'empereur Alexis. — *Costume noir, grand ceinturon jaune, poignard et décorations, grandes bottes. Terrifique collier de barbe. Bonnet* [mot rayé : *pointu*] *en forme de cône noir.*

Les Palotins très barbus, houppelandes fourrées couleur merdre ; en vert ou rouge à la rigueur ; maillot.

Colice. — [mot rayé : *maillot*].

Peuple. — En Polonais.

M. Fédérovitch. — Id. Bonnet de fourrure au lieu de tchapska.

Nobles. — En Polonais, avec manteaux bordés de fourrure et brodés.

Magistrats. — Robes noires, toques.

Conseillers, Financiers. — Robes noires, bonnets d'astrologues, lunettes, nez pointus.

Larbins des Phynances. — Les palotins.

Paysans. — En Polonais.

L'Armée polonaise. — En gris avec fourrures et brandebourgs. Au moins trois hommes avec fusils.

L'Armée russe. — Deux cavaliers : costume semblable à celui des Polonais, mais vert avec bonnet de fourrure. Têtes de chevaux de carton.

Un Fantassin russe. — En vert, avec bonnet.

Les Gardes de la Mère Ubu. — En Polonais, avec hallebardes.

Un Capitaine. — Le général Lascy.

L'Ours. — Bordure en ours.

Le Cheval à Phynances. — Cheval de bois à roulettes ou tête de cheval en carton, selon les scènes.

L'Équipage. — Deux hommes en marins, en bleu, avec col rabattu, etc.

Le Commandant. — En officier de marine français.

Ubu roi a été monté deux fois sous la direction de Jarry lui-même : sur la scène de l'Œuvre en 1896 et en marionnettes au Théâtre des Pantins en janvier 1898. Le Théâtre des Pantins s'était ouvert en décembre 1897, au 6 rue Ballu, dans le vaste atelier attenant à l'appartement du musicien Claude Terrasse. Nous avons pu retrouver le texte d'*Ubu roi* soumis à la Censure théâtrale en vue de la représentation aux Pantins. Par les mains de Georges Roussel, directeur du théâtre et frère du peintre Nabi K. X. Roussel, Jarry confie à la Censure un exemplaire complet (avec la couverture) de l'édition originale de la pièce ; le censeur coche en marge les passages à modifier ; Jarry rend l'exemplaire à la Censure quelques jours plus tard avec les intéressantes propositions suivantes (tous les passages entre crochets sont biffés par le Censeur) :

Remplaçons le 1er mot par
  [*Sangsurdre*]
[*ou par*]
  — Dre
[*ou par Mais…*]
[*ou nous le supprimerons entièrement,*] *et, de toute façon, l'avons supprimé dans tout le reste de la pièce, partout où il se trouvait.*

Ce texte, écrit à la mine de plomb, doit être postérieur aux ratures jarryques et surcharges à l'encre qui entourent le premier « Merdre » de la pièce. Jarry, suivant le conseil du Censeur, avait remplacé « Merdre » par « Sangsurdre » puis par « Gidouille », puis par « Dre », puis par rien.

Ces suppressions successives semblent annoncer l'inaugural silence d'*Ubu enchaîné*.

Ces modifications ont pour conséquence 1° de remplacer le « Merdre » inaugural par « Dre » ; 2° de supprimer tous les « merdre » interjectifs (ou leurs composés : « bougre de merdre » et « Oh ! merdre » (acte I, scène I) ; « grosse merdre » (acte I, scène IV) ; « sac à merdre ! » (acte V, scène I) ; ou des formules de civilité comme

« Madame de ma merdre… » (acte III, scène VII) qui se réduit à « Madame » ; 3° de substituer au mot « merdre » le mot « gidouille » dans les expressions : « croc à merdre » (acte III, scène VIII) ; « garçon de ma merdre » et « gare au croc à merdre » (acte IV, scène III) ; « sabre à merdre » (acte IV, scène IV) ; de lui substituer le mot « physique » dans « voilà le sabre à merdre » (acte III, scène VIII) ; le mot « oneilles » dans « chargez-vous du ciseau à merdre » (acte IV, scène III) ; le mot « bougre ! » au mot « merdre » (acte V, scène I).

Nous nous devons de faire un sort particulier au « Merdre » capital de l'acte I, scène VII, qui est le signal donné par Ubu aux conjurés pour massacrer le roi Venceslas. Fidèle à son engagement vis-à-vis de la Censure, Jarry n'hésite pas à faire dire au Père Ubu : « Je tâcherai de lui marcher sur les pieds, il regimbera, alors je ne lui dirai rien, et à ce signal vous vous jetterez sur lui. » On ne peut s'interdire de comparer ce silence du Père Ubu (qui remplace le « Merdre » hurlé de l'acte II, scène II, du texte original) au refus du Père Ubu de prononcer le mot, malgré l'invitation de la Mère Ubu, au tout début d'*Ubu enchaîné*.

Le dossier de la Censure contient une version de la *Chanson du décervelage* de la main de Claude Terrasse. Cette version se remarque par l'absence du cinquième et dernier couplet (qui peut s'expliquer par la disparition de la seconde feuille de la copie), par deux variantes : au sixième vers du deuxième couplet, « on s'flanque des coups » au lieu d'« on s'fiche » ; au septième vers du quatrième couplet, « une gigantesque *merde* » au lieu de « merdre » ; enfin et surtout par le titre *Tudé* que Jarry n'a jamais employé personnellement (voir nos notes aux *Paralipomènes*) et qui est le titre de la chanson écrite au lycée de Rennes par Charles Morin avant l'arrivée de Jarry et dont la primitive version a été révélée par Charles Chassé, *op. cit.*

Respectueux des traditions de l'édition critique, nous publions ici le texte d'*Ubu roi* sur la dernière édition parue du vivant de l'auteur, à savoir l'édition de 1900 aux Éditions de la Revue blanche, intitulée *Ubu roi/Ubu enchaîné/Comédie*. Si tant est que la définition du genre porte sur les deux pièces, pour la première fois Jarry présente *Ubu roi* comme une comédie. On observera aussi que la graphie *Ubu roi* avec un r minuscule singularise cette édition par rapport aux éditions précédentes. La même année, aux mêmes Éditions de la Revue blanche, le volume sort sous le titre *Ubu enchaîné précédé de Ubu roi*, sans que nous ayons pu déterminer avec une certitude suffisante pour nous en prévaloir auprès du lecteur, laquelle des deux éditions fut antérieure à l'autre. Seules les différencient couverture et page de titre ; le texte est identique.

Le texte se distingue de l'édition originale de 1896 aux Éditions du Mercure de France par la suppression du sous-titre : « Drame en cinq actes en prose restitué en son intégrité tel qu'il a été représenté par les marionnettes du Théâtre des Phynances en 1888 » ; par quelques variantes signalées en note ; par une disposition typographique nouvelle des indications scéniques et surtout par l'apothéose finale d'Ubu au moyen de la *Chanson du décervelage* ; ignorée dans l'édition de 1896 et à la représentation du théâtre de l'Œuvre, elle terminait la représentation d'*Ubu roi* au Théâtre des Pantins en janvier 1898 : *Les Paralipomènes* nous l'avaient révélée sous le titre de *Valse* et elle appartenait aux lointaines pièces hébertiques qui devaient aboutir à *Ubu cocu*.

LA BATAILLE D'*UBU ROI*
par Georges Rémond

La première d'*Ubu roi* était proche (novembre ou décembre 96, autant que je me rappelle). « Le scandale, disait Jarry, devait dépasser celui de *Phèdre* ou d'*Hernani*. Il fallait que la pièce ne pût aller jusqu'au bout et que le théâtre éclatât. »

Nous devions donc provoquer le tumulte en poussant des cris de fureur, si l'on applaudissait, ce qui, après tout, n'était pas exclu ; des hurlements d'admiration et d'extase si l'on sifflait. Nous devions également, si possible, nous colleter avec nos voisins et faire pleuvoir des projectiles sur les fauteuils d'orchestre.

Par une injustice qui m'indigne encore aujourd'hui, les Maîtres-Fifis n'avaient pas été invités. Pour moi, j'eusse voulu les voir là, avec leurs bottes, et au premier rang. Ils y auraient fait de bonne besogne ! Naturellement, le Père et la Mère Ernest furent conviés. Le Père Ernest accepta aussitôt, mais Mme Ernest déclara, en remerciant et en s'excusant « qu'à son âge elle n'allait plus dans le monde » !

Le grand soir arriva !

Le Père Ernest[1] avait revêtu la jaquette de ses noces

1. Sur le père Ernest, la mère Ernest et leur restaurant « Chez Ernest » situé 283 rue Saint-Jacques, et sur les habitués de ce lieu, notamment Sosthène Morand, Octave Fluchaire, et bien entendu Georges Rémond,

cantaliennes, une cravate rouge, avec épingle, sans nulle allusion à ses opinions politiques, qui étaient réactionnaires. Il coiffait un chapeau cronstadt, de bon style.

Nos places étaient au balcon. Morand, Sior Carlo, Don Beppi, Fluchaire, Fontaine, Socard et moi encadrions le Père Ernest. Celui-ci, à la vue de ce balcon, de ces loges, de ces fauteuils, ne pouvait cacher son admiration : « Eh quoi ! » s'exclamait-il, « tout ceci appartient à mon client Jarry ? » Nous l'assurâmes qu'« il n'y avait pas à en douter ». C'est à ce moment, j'en suis sûr, qu'il décida de consentir à « Monsieur Alfred » un « œil » illimité.

Après les trois coups frappés, Jarry parut devant le rideau, très fardé, en chandail et sans faux col, s'assit devant une mauvaise table, à demi recouverte d'une sorte de serpillière, lut, ou plutôt bredouilla, d'une voix morte et de façon inintelligible, quelque chose d'aussi effacé que sa silhouette ; et, sur le même ton, termina par ces mots : « la scène est en Pologne, c'est-à-dire nulle part ».

Cela n'était pas gentil pour les Polonais !

Aucune réaction ! Pas d'applaudissements ! Nul sifflet !

Ça commençait plutôt mal !

La toile se leva. Il n'y avait pas de décor. Un personnage à barbe et cheveux blancs interminables, « le Temps », que l'on nous dit être l'acteur Lugné-Poe, promenait un écriteau, décrivant appartements ou paysages, la steppe parcourue par les armées, couverte de neige, et hantée des ours.

Les personnages principaux portaient des masques dont le faux nez leur contractait les narines, de façon

---

ainsi que sur les curieuses « traboules » à la lyonnaise reliant le Calvaire du Trucidé à la rue Saint-Jacques, voir l'ouvrage de Noël Arnaud cité en bibliographie.

qu'ils eussent l'enchifrènement du rhume de cerveau qui fait dire « badame », pour « madame », « ibbonde », pour « immonde » : ou plus encore, l'accent, le hennissement puritain et claironnant des passagers du *May Flower*.

Mais, lorsque le premier mot de la pièce, le « Maître Mot », retentit dans la bouche du Roi Ubu, articulé et sonorisé par l'« r » de supplément, profondément embrené cependant par l'accent nasal, l'assistance, frappée à la poitrine et au nez, réagit comme un seul homme. Désormais les personnages s'agitèrent et parlèrent en vain ; le spectacle fut la salle même.

On entendait : « ouigre congre ! » — « mangre crochon ! » — « sigre trrourr du crull » — « outre, bouffre » — « bouffresque ! » — « C'est sublime ! » — « C'est plus fort qu'Eschyle ! » — « Tas d'idiots ! vous ne comprendriez pas mieux Shakespeare ! » — « Vous avez sifflé Wagner ! » — « Silence aux petits pâtissiers ! » — (Ces petits pâtissiers, fervents de Déroulède, avaient, quelques années auparavant, joué un rôle décisif dans les manifestations contre *Lohengrin*.) — Dans une loge, un homme vêtu d'un justaucorps violet, barbe bleue, cheveux crespelés, très noir, lança, par deux fois : « Ohé ! les races latines ! ohé les races latines ! » Quelqu'un dit que c'était le Sar Péladan. Un autre assura que c'était Dorado — « Qui ça, Dorado ? » — « Le Roi des Incas ! » Au milieu de nous, Sosthène avait immensément grandi ; flamme ou démon, je me demandais comment un être si long avait pu dormir dans le ventre de sa mère et comment il se reploierait dans le tombeau ; allait-il pas, en attendant, crever le plafond ? Il proférait des menaces et des insultes en chinois et en arabe et de ses bras infinis en paraissait saupoudrer les fauteuils. Ceux-ci, exaspérés, menacèrent de « venir nous secouer les puces ». Mais les épaules formidables du bon tolstoïste burgunde Fontaine nous mettaient à l'abri de toute éventualité. Sior Carlo avait tiré du fond de ses paupières inférieures sa paire d'yeux noirs, malicieux et méchants, et les promenait sur la foule, regrettant seulement de ne s'être pas muni de petits cailloux ou noyaux, dont il bombardait si bien les crânes, les soirs de manifestations ; Fluchaire étendait et repliait les bras, en grimaçant et sifflant selon sa coutume, et comme s'il eût fait des haltères. Au milieu de nous le Père Ernest affleurait au balcon, comme à la terre de son Cantal une lame de granit bleu. Parfois il tendait vers la scène ses deux ailerons minéraux et de sa voix pétrée disait : « pourquoi ? pourquoi ? » Puis il reprenait la rumination de ses châtaignes natales. Je lui avais confirmé que tout cela appartenait bien à « Monsieur Alfred ».

« Est-ce possible ? » répliquait-il. « Mais pourquoi ces cris, ce tumulte ? De quoi s'agissait-il ? » Sans doute en était-il toujours ainsi dans les réunions publiques. Il avait entendu dire que la pièce parlait d'un Roi et aussi d'une guerre en Russie. C'était donc là une affaire entre républicains et royalistes, dreyfusards et antidreyfusards, partisans et adversaires de l'alliance russe. Qui l'emporterait ? On ne le saurait qu'aux prochaines élections ! Mais, dédaignant ces questions secondaires, son visage était tout à l'admiration pour son « client ». Et même quelque gloire en rejaillissait sur nous.

Quelquefois, au milieu du vacarme, Gémier-Ubu venait brusquement à la rampe et clamait le « mot ». Celui-ci, porté par ses roues ou ses ailes sonores, s'étendait sur la salle comme une gigantesque chauve-souris. Il en résultait une si forte présence que le silence se faisait et que les applaudissements éclataient, unanimes.

Le rideau tomba ainsi sur la fin du premier acte.

L'entr'acte fut assez calme. Nous nous efforcions de reconnaître les écrivains, journalistes, ou hommes célè-

bres, moins popularisés qu'aujourd'hui par la photo-
graphie : Catulle Mendès, Henry Bauër, Edmond
Lepelletier, Tailhade, Peladan. Nous cherchions Fran-
cisque Sarcey pour le conspuer ou le frapper, mais
en vain !

Le vacarme reprit dès le début du deuxième acte, et
l'on comprit que la représentation n'irait pas beaucoup plus loin. Certes, nous avions grand désir d'accla-
mer Cremnitz dans le personnage de l'ours ; mais il
fallait renoncer à cette espérance. Désormais nulle
réplique ne pouvait être entendue. L'ire du public
avait grandi. La vague déferlante et la masse des clameurs
accablaient les acteurs. Il arrive un instant, dans le
typhon, où la boussole, chavirée, perd le sens des pôles.
La Mère Ubu tournoyait sur elle-même ; j'entendis une
voix lui crier : « Tu es saoule, salope » et l'« extra » de
Mme Ernest voltigea sur la scène devant mes yeux :
« u-ne-sa-lo-pe-de-veau-pour-Monsieur-Jarry-u-ne ! »

Gémier Ubu roi, majestueux, vint, une dernière fois,
à la rampe, leva, de dessus son noble visage, le masque
en poire triangulaire qui obturait son nez et, cette fois,
d'une voix claire, roulant comme le tonnerre et les tam-
bours, impérieuse comme celle d'Hercule entrant chez
Augias clama :

« Merrrrdrrrrre. »

Puis, son masque à la main, déclara :

« La pièce que nous venons de représenter est de
M. Alfred Jarry ! »

Et le rideau tomba pour ne plus se relever !

Il y eut quelques accrochages à la sortie, échange du
« mot » et de quelques coups de poing, mais en somme
plus de rigolade que de fureur. L'électricité s'éteignit,
se ralluma. Les agents faisaient circuler, mais n'eurent
pas à intervenir autrement...

Nous revînmes à pied jusqu'à la lointaine rue Saint-Jacques, en compagnie du Père Ernest. Il répétait sans cesse : « et tout cela, tout ce beau monde appartenait à mon client, Monsieur Alfred ! » …

Arrivés rue Saint-Jacques, il offrit une tournée générale de prunelle de Mme Ernest. Celle-ci ne nous avait pas attendus. Elle dormait, depuis longtemps, avec les anges du Cantal, et dans le Val de Grâce.

BIBLIOGRAPHIE SÉLECTIVE

Le lecteur consultera avec fruit les publications du Collège de 'Pataphysique et particulièrement les

Cahier n° 3 - 4 (le problème d'Ubu), 22 haha 78 = 27 octobre 1950 ;

Cahier n° 10 (Expojarrysition), 15 clinamen 80 = 6 avril 1953 ;

Cahier n° 20 (Ubu Encore et Toujours), 15 gidouille 82 = 29 juin 1955 ;

Cymbalum Pataphysicum n° 5 (Hommage à F.-F. Hébert), 8 sable 104 = 8 décembre 1976.

Les ouvrages suivants sont recommandés :

Alfred Jarry, par Jacques-Henry Levesque, « Poètes d'aujourd'hui », Seghers, 1951.

Tout Ubu, édition établie par Maurice Saillet, Le Livre de Poche, 1962.

La Chandelle verte, édition établie par Maurice Saillet, Le Livre de Poche, 1969 (recueil des articles de Jarry).

Alfred Jarry, Cahiers de la compagnie Madeleine Renaud Jean-Louis Barrault, n° 72, 1970.

Œuvres complètes d'Alfred Jarry, trois volumes, « Bibliothèque de la Pléiade », Gallimard, 1972-1988 (tome I, édition établie par Michel Arrivé, 1972 ; tomes II et III, édition établie par Henri Bordillon avec la collaboration de Patrick Besnier et de Bernard Le Doze, 1987 et 1988). On trouvera *Ubu roi* dans le tome I.

Jarry, le monstre et la marionnette, par Henri Béhar, Larousse, 1973.

À la recherche d'Alfred Jarry, par François Caradec, Seghers, 1973.

Alfred Jarry, d'Ubu roi au docteur Faustroll, par Noël Arnaud, La Table Ronde, 1974.

Gestes et opinions d'Alfred Jarry, écrivain, par Henri Bordillon, Siloë, Laval, 1986.

Les Cultures de Jarry, par Henri Béhar, PUF, 1988.

Alfred Jarry, par Patrick Besnier, Plon, 1990.

On pourra consulter aussi *L'Étoile-Absinthe*, revue publiée depuis 1979 par la Société des amis d'Alfred Jarry, présidée par Michel Décaudin.

Enfin, hors les intentions de l'auteur et toutes réserves faites sur son interprétation des faits, on doit tenir pour indispensable sur le plan historique et même philologique :

Sous le masque d'Alfred Jarry (?). Les Sources d'Ubu roi, par Charles Chassé, Floury, 1921 ; et sa réédition augmentée, sous le titre

Dans les coulisses de la gloire : d'Ubu roi au Douanier Rousseau, Nouvelle Revue critique, 1947.

Ces deux ouvrages de Charles Chassé peuvent être utilement complétés par les articles suivants, du même auteur :

« La naissance d'Ubu roi » dans *La Dépêche de Brest*, 4 et 20 janvier 1933 ;

« Comment *Ubu roi* est né au lycée de Rennes » dans *Cahiers d'Histoire et de Folklore*, n° 1, 1955 ;

« Le vrai visage du père Ubu » dans *Les Nouvelles littéraires*, 29 janvier 1959.

NOTES

Page 24.

1. Cette indication est évidemment absente de l'édition originale qui a précédé de plusieurs mois la représentation de la pièce. Le comédien Nolot jouait les deux rôles du Tsar Alexis et de Bougrelas ; Lugné-Poe les deux rôles de Michel Fédérovitch et d'un Messager.

Page 25.

1. Édition originale : Ce livre / est dédié /…

Page 28.

1. Le nom d'Ubu proviendrait d'une des contractions du nom d'Hébert : Ébé. À Rennes, la *Chanson du décervelage* se terminait au refrain par « Hurrah, cornez au cul, Vive le Père Ébé ». Henri Morin aurait posé comme condition de son legs à Jarry des pièces hébertiques le camouflage du nom du professeur Hébert, insuffisamment déformé en Ébé. Par l'effet de la rime intérieure du dernier vers de la *Chanson du décervelage*, Ubu se serait substitué à Ébé. Hypothèse vraisemblable puisqu'on peut déceler cette germination à l'acte V, scène II quand la rime à « financier » amène Ubé et non Ubu (« Vive le Père Ubé, notre grand financier ! ») ; et hypothèse séduisante, qui ferait d'Ubu un pur produit poétique.

2. Le nom de Bordure, comme ceux des trois Palotins (Giron, Pile et Cotice), est étranger à la geste primitive (voir la notice). En termes de blason, la bordure est une pièce en forme de ceinture qui environne tout l'écu (il y a des bordures de poil : bordures de vaire, d'hermine…) ; le giron est un triangle à pointe longue qui s'enfonce au cœur de l'écu (la comparaison anatomique qu'en propose l'*Encyclopédie* de Diderot est intéressante : « Ce mot signifie à la lettre l'espace qui est depuis la ceinture jusqu'aux genoux, à cause que quand on est assis les genoux un peu écartés, les deux cuisses et la ligne qu'on imagine passer d'un genou à l'autre, forment une figure semblable à celle dont nous parlons. ») ; la pile est un pal qui s'étrécit depuis le chef pour se terminer en pointe dans le bas de l'écu ; la cotice est une bande diminuée parallèle à d'autres bandes, et quand la cotice tient lieu de brisure on la nomme bâton. L'explication « sexuelle » des blasons n'est nullement moderne. De très vieux héraldistes étaient parfaitement conscients des origines des figures et de leur signification (la citation de l'*Encyclopédie* en est un exemple, on pourrait en fournir d'autres). Au temps de Jarry, l'homme qui avait pressenti le parti qu'on pouvait tirer de l'héraldique dans la création poétique et picturale était Remy de Gourmont. Quand Jarry écrit *César-Antechrist* et en invente les écus (dont nos Palotins d'*Ubu roi*), il est au plus haut période de son amitié et de sa collaboration avec Gourmont. Il reste que les quatre figures du blason retenues par Jarry sont particulièrement évocatrices : la bordure représente le sphincter (comme Orle — autre figure de blason — dans *César-Antechrist*) ; les trois autres le membre viril.

3. Dans le *Programme d'Ubu roi*, on peut lire : « Fort tard après la pièce écrite, on s'est aperçu qu'il y avait eu en des temps anciens, au pays où fut premier roi Pyast,

homme rustique, un certain Rogatka ou Henry au gros ventre, qui succéda à un roi Venceslas, et aux trois fils dudit, Boleslas et Ladislas, le troisième n'étant pas Bougrelas ; et que ce Venceslas, ou un autre, fut dit l'Ivrogne. Nous ne trouvons pas honorable de construire des pièces historiques. »

Ce texte est, au moins, énigmatique puisque, tout en affirmant qu'il se préoccupe peu de la vérité historique, Jarry montre cependant qu'il a cherché des renseignements sur l'histoire polonaise. Nous voulons donc, ici, établir les rapprochements, souhaitables pour le lecteur (puisque l'on sait par Charles Chassé que ces noms sont d'invention jarryque), entre les personnages d'*Ubu roi* et les personnes historiques qui portèrent ces noms.

On connaît plusieurs rois *Venceslas*, mais tous sont bohémiens et non polonais. Citons d'abord saint Venceslas (907-936), duc de Bohème, nommé roi par l'empereur allemand Othon, et qui mourut sous les coups de son frère Boleslas. Les autres rois Venceslas furent respectivement Venceslas II (qui occupa le trône de 1300 à 1305) et son fils Venceslas III qui mourut assassiné en 1306, l'année même de son accession au trône. De plus, il existe bien un Venceslas dit « l'Ivrogne » (né en 1359, mort en 1417), mais il fut empereur d'Allemagne et roi de Bohème.

L'histoire dénombre, en revanche, plusieurs rois de Pologne appelés *Boleslas* (ou Boleslav). D'abord Boleslas 1er dit « le Vaillant » (roi de 992 à 1025), fils du premier roi de Pologne connu et fondateur de la famille des Piast : Mieszko ; ensuite Boleslas II « le Hardi » (roi de 1058 à 1080) ; enfin Boleslas « Bouche-Torse » (roi de 1102 à 1138), lequel eut quatre fils qui se partagèrent la Pologne.

Quant aux rois *Ladislas*, s'il en est plusieurs en Hongrie, la Pologne, elle, n'en compte que deux : Ladislas

Herman (roi de 1081 à 1102) et Ladislas Lokietek, c'est-à-dire « le Bref » (roi de 1309 à 1333). Ainsi, il y eut bien des Ladislas et des Boleslas rois de Pologne. Un seul Venceslas régna sur la Pologne ; ce fut Venceslas II, roi de Bohème et de Hongrie, élu roi de Pologne en 1300 par le parti opposé à Ladislas Lokietek, mais ce dernier reprit le trône après la mort de Venceslas en 1305 pour être universellement reconnu roi de Pologne en 1309. Pour être complet, il existe encore un autre roi Venceslas de Pologne, mais il faut aller le chercher dans une pièce de théâtre, celle de Rotrou, ainsi intitulée, où « l'action se passe à Varsovie » et dans laquelle on découvre un Ladislas, fils de ce roi.

On sait par Charles Chassé que, dans la version primitive, Boleslas et Ladislas s'appelaient Constantin et Vladimir et qu'ils étaient censés représenter les deux fils de monsieur Hébert.

Bougrelas est une création de Jarry. On voit dans sa correspondance avec Lugné-Poe son insistance (vaine) pour faire jouer le rôle par un splendide enfant de quatorze ans, coqueluche des jeunes esthètes (dames et messieurs) de Montmartre.

La formule de Jarry « Nous ne trouvons pas honorable de construire des pièces historiques » doit être reconsidérée maintenant au regard de ces informations biographiques. En effet, pour ne pas faire de pièce historique, il n'est pas nécessaire de ne pas prendre de personnages historiques. Au contraire, en en prenant, qui appartiennent à des siècles très différents, et en les mélangeant volontairement, on arrive aussi sûrement à cet effet d'irréalité qui peut faire devenir l'œuvre d'art « éternelle tout de suite ».

4. Aucune Rosemonde polonaise n'est connue. Les Rosemonde historique, la reine des Lombards comme la maîtresse de Henri II d'Angleterre, mises à la scène

plusieurs fois l'une et l'autre — et le plus près de Jarry la Rosemonde anglaise dans l'opéra de Donizetti (1834) donné en France avec succès —, ont en commun une existence tragique, faite de traîtrises, d'assassinats, d'emprisonnements et de fuites.

5. Le général Lascy — qui n'est pas seulement imaginaire — est Grand Palatin du roi de Pologne dans l'opéra-comique de Chabrier : *Le Roi malgré lui* (créé en 1887 à la veille de l'entrée de Jarry au lycée de Rennes). On trouve aussi le général Lascy dans le *Don Juan* de Byron. Au dire de Charles Morin, c'est là qu'il aurait été pêché. Historiquement prénommé Pierre, le comte Lascy, feld-maréchal russe (1678-1751), passa au cours de sa carrière militaire au service de la Pologne à qui il fit gagner la bataille de Poltava (1709).

6. Stanislas Leczinski, roi élu de Pologne, puis destitué, réfugié en France, devenu duc de Lorraine et beau-père de Louis XV.

7. Jean Sobieski, roi de Pologne, si gros qu'au cours d'une bataille contre les Turcs ses aides de camp durent le soutenir, évanoui, sur son cheval. Une sorte de Père Ubu. L'anecdote est rapportée par Brillat-Savarin, *Physiologie du goût*, Méditation XXI, où Jarry a pu la rencontrer.

8. L'empereur Alexis et Michel Fédérovitch sont fort liés puisque le premier est fils du second. Michel Fédérovitch fonda la dynastie des Romanov et régna, de 1613 à 1645, sous le nom de Michel III. L'empereur Alexis lui succéda, et régna jusqu'en 1676.

Page 29.

1. Merdre : le mot serait de création rennaise, si l'on fait crédit aux frères Morin. Jeu d'enfants sur un mot frappé d'interdit ? Il existe, non loin de Rennes, une localité nommée Merdrignac. Le mot, avec son r adventice, fonde à jamais et signale le Père Ubu ; il est son

« mot de passe » (*Ubu roi*, acte I, scène VII). Qu'il ne le prononce pas (début d'*Ubu enchaîné*), et il renonce à sa souveraineté. Dans l'édition originale, Merdre est suivi d'un point d'exclamation.

Page 31.

1. Allusion aux aventures du P. H. dans les textes rennais précédant *Les Polonais* (témoignage de Charles Morin). Jarry, qui a pris soin d'ôter à ses personnages leur nationalité espagnole, conserve curieusement cette allusion, totalement incompréhensible pour les lecteurs et les spectateurs d'*Ubu roi*.

Page 36.

1. Ce mot n'a pas livré tous ses secrets. Selon les frères Morin, Rastron était le surnom d'un de leurs condisciples, Ange Lemaux, qui habitait rue du Chapitre (*cha* appelant *ra !*). Nos recherches ne nous apprennent rien de semblable. Ange Lemaux habitait avenue du Mail d'Onges (son père fut correcteur, puis comptable — et non typographe comme le dit Charles Morin — à l'imprimerie Oberthür). De plus, dans *L'Amour absolu*, Jarry place Rastron à côté de Rakir parmi les jouets que fabriquait — et nommait — Emmanuel Dieu tout enfant, bien avant Rennes et la rencontre d'Ange Lemaux.

Page 38.

1. Charles Morin nous convainc aisément — même en notre époque de détergents — qu'il s'agit du balai des cabinets.

Page 42.

1. Jarnicotonbleu : jurement qui découle — de source — de jarnicoton et de jarnidieu, attestés chez tous les familiers des Valois.

Page 45.

1. Cornemuse dans Rabelais (*Gargantua* et *Le Cinquième Livre*). Bouzine, avec boudouille et gidouille, désigne le ventre d'Ubu. Gidouille viendrait de guedouille, lui-même issu de guedoufle (bouteille pansue dans Rabelais). Pour Rabelais dans Jarry, consulter généralement François Caradec : *Rabelais dans l'œuvre de Jarry, Cahiers du Collège de 'Pataphysique*, n° 15 (23 clinamen 81 = 1953). Depuis longtemps, la désinence « ouille » est en français, dépréciatoire (une dépouille, chanter pouilles, etc.) et désigne souvent, de ce fait, ce qui est « au-dessous de la ceinture ». L'andouille, fréquente dans Rabelais et dans Ubu, est à ce titre exemplaire : elle condense la merdre et le phallus.

Page 47.

1. Dans un diplôme d'études supérieures, non publié (*L'Originalité du langage théâtral dans Ubu roi*, 1966-1967), Paul Jacopin a comparé les textes de *Macbeth* et d'*Ubu roi*. Cette réplique de Bordure serait à rapprocher de la réplique du soldat dans *Macbeth*, acte I, scène II. Autres rapprochements : *Ubu roi* I, I : *Macbeth* I, III ; *Ubu roi* III, VIII : *Macbeth* V, III. Cité par Henri Béhar : *Jarry, le monstre et la marionnette*, Larousse, 1973.

Page 50.

1. Sandomir : authentique ville de Pologne.

Page 54.

1. Dans l'édition originale, on lit : « Qu'est cela ? » « Dégaînons », avec l'accent circonflexe, est une faute courante chez Jarry.

Page 59.

1. Comme nous y invite opportunément Michel Arrivé (Pléiade, p. 1158), il convient d'entendre la déploration de la reine Rosemonde prononcée avec l'accent du Cantal (Le programme d'*Ubu roi* précise en effet que la reine Rosemonde « charabie du Cantal ».)

Page 60.

1. Peut-être réminiscence d'*Hamlet* (acte I).

Page 61.

1. Kœnigsberg : dans l'édition originale : Königsberg.

Page 71.

1. La Machine à décerveler, qu'on a pu remarquer dans la liste des personnages, n'intervient à aucun moment de la pièce. En revanche, elle se manifeste dans l'« Acte terrestre » (scène VII) de *César-Antechrist* tout juste avant la réplique du Père Ubu ; les indications scéniques précisent : « Dans le sous-sol la Machine à décerveler » :

Bruit souterrain : Pétrissant les glottes et les larynx de la mâchoire sans palais,
Rapide, il imprime, l'imprimeur.
Les sequins tremblent aux essieux des moyeux du moulin à vent.
Les feuilles vont le long des taquins au vent.
La mâchoire du crâne sans cervelle digère la cervelle étrangère
Le dimanche sur un tertre au son des fifres et tambourins
Ou les jours extraordinaires dans les sous-sols des palais sans fin.
Dépliant et expliquant, décerveleur.
Rapide il imprime, il imprime, l'imprimeur.

Page 73.

1. Pigner est un terme encore très usité dans l'ouest de la France. Il s'applique d'ordinaire à un enfant qui « pleure pour rien » ; il signifie « pleurnicher ».

Page 78.

1. Première et unique mention de la famille d'Ubu dans *Ubu roi*. Cette allusion au prolifique père de famille Hébert se retrouve dans *Ubu cocu*.

Page 79.

1. Cornegidouille : ce jurement fameux du Père Ubu associe le « cornez-au-cul » de la lutte bretonne (mal compris de Jarry) et de la *Chanson du décervelage* à la gidouille. On peut s'offrir le luxe d'y voir une sexualisation du ventre ubique. Ubu en colère, le ventre exacerbé, deviendrait taureau.

2. Stanislas Leczinski : Jarry donne à ce bouseux le nom du roi de Pologne le plus célèbre de notre histoire.

Page 81.

1. Le Père Ubu : Édition originale : Ubu.

Page 85.

1. Conseillers des finances : dans l'édition originale, conseillers de phynances.

2. Les chiens à bas de laine sont dressés à détrousser les rentiers. Ce thème appartient à la geste primitive du P. H.

Page 86.

1. Pocher signifie ici enfermer dans la pôche (sic) du Père Ubu. Le P. H. du lycée de Rennes traînait toujours derrière lui une sorte de gibecière.

Page 88.

1. Le P. H. originel portait une petite canne. Jarry
restera sur ce point fidèle au prototype : le Père Ubu,
dans ses portraits d'apparat dessinés par Jarry, se présente avec une canne enfoncée dans sa poche.

Page 89.

1. Dans l'« Acte terrestre » de *César-Antechrist* (scène XII),
cette réplique du Père Ubu commence par une longue
évocation des Palotins, où se mêlent curieusement des
images rennaises et des réminiscences maldororiennes :

*Ubu : Nos Palotins sont aussi d'une grande importance,
mais point si beaux que quand j'étais roi d'Aragon. Pareils à
des écorchés ou au schéma du sang veineux et du sang arté-
riel, la bile financière leur sortait par des trous et rampait en
varicocèles d'or ou de cuivre. Ils étaient numérotés aussi et je
les menais combattre avec un licou d'où pendaient des plombs
funéraires. Les femmes avortaient devant eux heureuses, car
les enfants nés leur seraient devenus semblables. — Et les pour-
ceaux coprophages vomissaient d'horreur. — Ah ! maintenant…, etc.*

Page 93.

1. Dans l'édition originale, la liste des personnages
de cette scène s'arrête à : « soldats ».

Page 95.

1. Jambedieu : emprunté à Rabelais.

Page 96.

1. Le bâton à physique est attesté dès le lycée de
Rennes. Attribut du P. H. parce que, sans doute règle,
ou tringle, ou verge (comme disent les dictionnaires)

dont se servait le professeur de physique Hébert dans ses démonstrations. (À rapprocher aussi du « petit bout de bois », voir n. 1, p. 88.) Qu'il ait eu dès cette époque un « contenu sexuel » est fort vraisemblable (on peut compter sur des adolescents de quinze ans pour fourrer du sexe un peu partout !), mais Jarry lui donnera sa vraie dimension panspermique dans *César-Antechrist* : vertical, le bâton à physique est mâle (ou pal) ; horizontal, femelle ; il est Moins-en-Plus, le sexe et l'esprit, l'homme et la femme. Par sa rotation, il forme la sphère, il est l'œuf et le zéro, c'est-à-dire Ubu. Très tôt, dans *L'Art littéraire* de mai-juin 1894, Jarry définissait le bâton-à-physique, avant d'en faire le personnage de *César-Antechrist* :

Du Bâton-À-Physique :

Phallus déraciné, ne fais pas de pareils bonds ! *Tu es une roue dont la substance seule subsiste, le diamètre du cercle sans circonférence créant un plan par sa rotation autour de son point médian. La substance de ton diamètre est un Point. La ligne et son envergure sont dans nos yeux, clignant devant les rayures d'or et vertes d'un bec de gaz palloïde.*

Le cycle est un pléonasme : une roue et la superfélation du parallélisme prolongé des manivelles. Le cercle, fini, se désuète. La ligne droite infinie dans les deux sens lui succède. Ne fais pas de pareils bonds, *demi-cubiste sur l'un et l'autre pôle de ton axe et de ton soi ! Le cavalier t'étreint (suspendu s'il le désire, à la Cardan entre tes côtes — laissons le disque quelques siècles encore aux accessoires et à l'homme) et tu poursuis la succession de tes équilibres momentanés, dans le sens du mouvement (si le spectateur est à ta droite, et encore ta droite est ta gauche dans la deuxième moitié de ta course) des aiguilles d'une montre.*

*Tu concilies le discontinu de la marche et le continu de la
rotation astrale ; à chaque quart de chacune de tes révolutions
(qu'on la mesure d'où l'on voudra) tu fais une croix avec toi-
même. Tu es saint, tu es l'emblème bourgeon de la génération
(si cela était pourtant, tu serais maudit, Bourgeois), mais de
la génération spontanée, vibrion et volvoce dont les images
gyroscoposuccessives révèlent à nos yeux, hélas trop purs, ta
scissiparité, et qui projettes loin des sexes terrestres le riz céré-
bral de ton sperme nacré jusqu'à la traîne où les haies d'indé-
pendantes pincettes des chinois Gastronomes illustrent la Vierge
lactée.*

Page 99.

1. Ô les braves gens, je les adore : réminiscence des
historiques paroles de Guillaume Ier à Sedan en 1870.

Page 103.

1. La pôche du Père Ubu se distingue d'une poche
ordinaire par l'accent circonflexe.

Page 108.

1. *Lumelle* signifie lame dans Rabelais (*Le Cinquième
Livre*). Se retrouve dans la *Chanson du décervelage.*

2. Cette scène, inspirée de la scène II du deuxième
intermède de *La Princesse d'Élide* de Molière, fut suppri-
mée lors de la création d'*Ubu roi* au théâtre de l'Œuvre.

Page 111.

1. Débiter des patenôtres : en son sens premier, réci-
ter des *Pater noster.*

2. Charles Morin jugeait stupide l'explosion des
Palotins. Leur mode de fabrication, leur constitution,
telle que nous la décrit Henri Morin, rend au contraire
leur « explosion » inévitable. Mais il précise bien que
c'était leur dernier avatar. Charles Morin l'ignorait. On

peut du reste se demander si les relations des deux frères ne s'étaient pas singulièrement distendues entre
1888 et 1895 ou 1896 pendant l'intimité d'Henri et de
Jarry et quand, à Paris, Henri fréquentait, en compagnie
de Jarry, les milieux d'« esthètes à cheveux longs ».
Assurément, il ne devait guère s'en vanter auprès de
Charles. On verrait mieux pourquoi il n'avait pas cru
bon d'associer son frère à l'accord passé avec Jarry pour
l'utilisation des pièces hébertiques.

Page 116.

1. La ressemblance entre Bordure et l'ours se comprend par le *Répertoire des costumes.* Le même acteur
aurait dû interpréter les deux rôles.

2. Rbue : intéressante création verbale, qui est à la
fois une condensation de « Mère Ubu » et un jeu de
mots sur rebut.

Page 117.

1. Gironné, en héraldique, signifie « divisé en plusieurs parties ».

Les relations amoureuses du Palotin Giron et de la
Mère Ubu seront plus explicites dans *Ubu sur la Butte.*

Page 118.

1. Le rixdale est une ancienne monnaie d'argent en
usage dans l'Est et le Nord de l'Europe.

Page 119.

1. Parodie d'*Andromaque* (acte V, scène v).

Page 125.

1. Le Père Ubu ne manque aucune occasion de nous
faire part de ses connaissances, très particulières, du

latin. Voir précédemment acte IV, scène VI, et *Les Paralipomènes d'Ubu.*

Page 128.

1. Vivent : édition originale, Vive…

Page 129.

1. On rapprochera cette tirade de celle d'*Ubu cocu*
(V, II). La première version d'*Ubu roi*, dans l'« Acte terrestre » de *César-Antechrist*, ne contient rien de l'actuel
acte V. De plus, Charles Morin affirmait à Charles
Chassé que son acte V était bâclé. Or cet acte est aussi
long que les quatre autres, et la scène I de cet acte est la
plus longue de la pièce. Enfin, la *Salomé* d'Oscar Wilde
fut jouée au théâtre de l'Œuvre les 10, 11 et 12 février
1896. On pourrait y voir la source de cette « décollation
de saint Jean-Baptiste », thème infiniment plus symboliste que potachique !

Page 136.

1. Les ruines du château de Mondragon achèvent de
s'écrouler près d'Arles. Souvenir d'enfance des frères
Morin originaires du midi de la France, comme *tuder*
viendrait d'eux et du provençal *tudar.*

2. Le palotin Pile avoue ainsi son sang espagnol (que
nous connaissons par Charles Morin). Voir aussi, acte IV,
scène VI, l'évocation de la Castille par le Palotin Cotice.

Page 138.

1. Ici se termine le texte de l'édition originale.

2. Ce texte se chantait à Rennes sur l'air de la *Valse
des Pruneaux,* paroles de Villemer-Delormel, musique
de Charles Pourny. On connaît par Charles Chassé l'original ubique de ce texte, intitulé *Tudé.* On notera,
comme principales variantes : « Ru'd'l'Échaudé » au

lieu de « A Thorigné » (commune peu éloignée de Rennes). Le mot Palotin a remplacé le mot Salopin.

De plus, Jarry transcrit « Hurrah ! cornez-au-cul... » par « Hourra, cornes-au-cul... ». Or l'expression « cornez-au-cul » fait référence à l'une des figures de la lutte bretonne : le coup de coin du cul.

La paroisse de Toussaints est située au cœur de Rennes. L'église même de Toussaints jouxte le lycée. La rue du Champ-de-Mars relie les quais de la Vilaine au Champ-de-Mars.

Le Mercure de France était alors installé au 15 rue de l'Échaudé-Saint-Germain, dans le 6e arrondissement ; il y resta jusqu'au premier trimestre de l'année 1903 ; il s'installe alors rue de Condé au 26.

À Rennes, la chanson comprenait six couplets, Jarry n'en donne que cinq. Il a réuni des éléments des couplets 3 et 4 de la version rennaise pour former le couplet 3 de sa version.

Charles Chassé désigne le Pince-Porc et le Démanche-Comanche comme les instruments de supplice employés par les Salopins. Dans ses *Visions actuelles et futures*, Jarry cite le Pince-Porc dans l'inventaire de ses « malthusiennes machines » : « Ainsi chantâmes-nous ce jour-là, où nous ne parlâmes point de nos malthusiennes Machines, ni de l'Autoclave, ni de la Digitale, NI DU PINCE-PORC. »

DU MÊME AUTEUR

Dans la même collection

UBU : UBU ROI, UBU COCU, UBU ENCHAÎNÉ, UBU
SUR LA BUTTE *(ce volume contient un extrait d'Acrobaties de
Lugné-Poe). Édition de Noël Arnaud et Henri Bordillon.*

COLLECTION FOLIO

Dernières parutions

Impression Novoprint
à Barcelone, le 17 octobre 2018
Dépôt légal : octobre 2018
Premier dépôt légal dans la collection: avril 2002

ISBN 978-2-07-042354-5./Imprimé en Espagne.